CRISTIANO RONALDO
SUEÑOS CUMPLIDOS

ENRIQUE ORTEGO

CRISTIANO RONALDO
SUEÑOS CUMPLIDOS

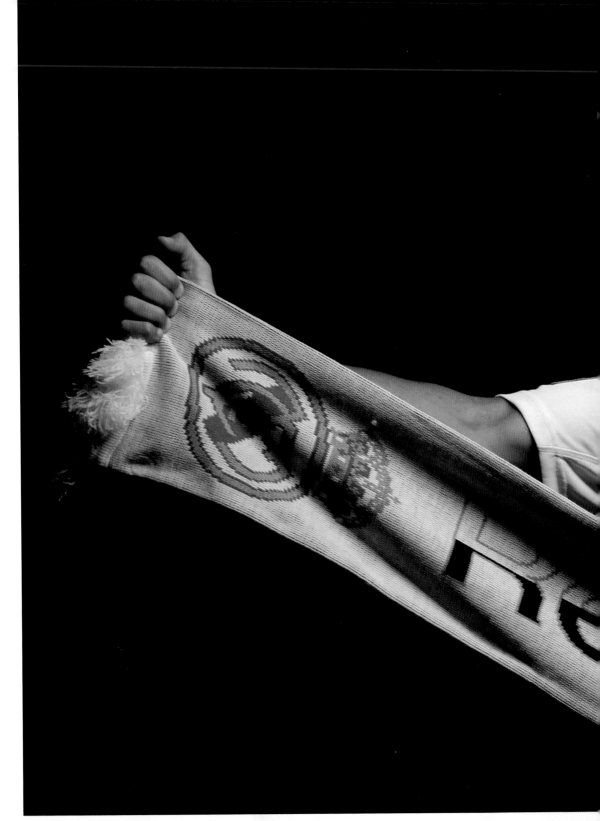

6 Julio 2009

Dirección editorial
Raquel López Varela

Coordinación editorial
Antonio Manilla

Texto
Enrique Ortego Rey

Fotografías
David Moracho
Jorge Monteiro
David Rodríguez Anchuelo
Elisa Estrada Cuenca
Paolo Tiengo
Getty Images
Prisma

Diseño
Maite Rabanal

Maquetación
Maite Rabanal
Fernando Ampudia

Carretera León - A Coruña, km 5 - LEÓN
www.everest.es
Atención al cliente: 902 123 400

ISBN: 978-84-441-0241-2
Depósito legal: LE-45-2010

Printed in Spain - Impreso en España

EDITORIAL EVERGRÁFICAS, S.L.
Carretera León - A Coruña, km 5 - LEÓN

SUMARIO

UN FUTBOLISTA
NACIDO PARA JUGAR
EN EL REAL MADRID

Con esta obra que tienen ustedes en sus manos, el Real Madrid, a través de su Fundación, estrena una colección de libros que busca plasmar gran parte de la leyenda de un club mágico y de los protagonistas que la han hecho posible a lo largo de sus 107 años de historia. Tratamos con este nuevo proyecto de acercar, a los seguidores madridistas y también al aficionado al fútbol, los momentos más importantes de un equipo que fue reconocido por la FIFA como el mejor del Siglo XX y que aspira a revalidar ese honor en el siglo presente. Es nuestro gran sueño y nuestro gran desafío. Volver a ser elegidos algún día como el Club más grande de todos los tiempos.

Un centenar largo de años, un palmarés único y la presencia de muchos de los mejores jugadores y entrenadores del mundo, conforman material futbolístico suficiente para ser recogidos en una serie de libros que permita conocer y entender mejor nuestro pasado, presente y quizás hasta nuestro futuro. Queremos, por tanto, brindar a todos aquellos apasionados de este deporte la oportunidad de descubrir a aquellos que son o han sido sus ídolos y referentes.

Comenzamos la colección con Cristiano Ronaldo, un futbolista fascinante, nacido para jugar en el Real Madrid y que a sus 24 años ya está junto a nosotros. Hemos comenzado por el presente más actual, pero por un jugador que ansía hacer historia. Cristiano es especial y tiene una pasión por este deporte y por la pelota, absolutamente indestructibles. Él debe ser una de esas piezas básicas que nos van a ayudar a seguir siendo ese club de referencia nacional e internacional. Cristiano es un adicto al Fútbol y está aquí porque el Real Madrid era una obsesión para el.

Pero en nuestro repertorio tendrán cabida todos los acontecimientos, gestas y partidos vividos por este club a lo largo de su historia con relevancia especial para los futbolistas y técnicos de todas las décadas, con el gran Alfredo di Stéfano, nuestro Presidente de Honor, a la cabeza. Habrá espacio para recordar las grandes finales de la Copa de Europa, las Ligas, la entrega, el sacrificio y las anécdotas más especiales que hicieron muchas veces posible lo aparentemente imposible… En definitiva, una colección que ayudará a disfrutar de la cultura viva de este club, de sus valores y sobre todo de esos magníficos hombres que la hicieron y la hacen realidad.

Florentino Pérez

REAL MADRID

克里斯帝亚诺

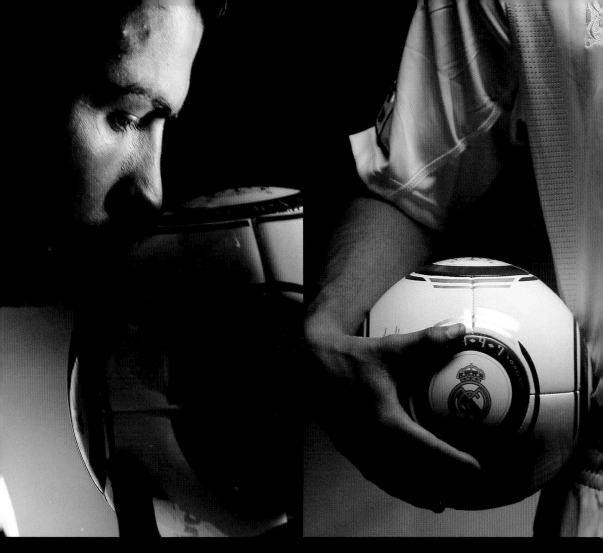

Estar no Real Madrid é a concretização de um sonho que acalentava desde criança. A história do Real e o seu poder de conquista ao longo de décadas foram sempre uma luz que iluminou o meu caminho.

EL REAL MADRID

SU DESTINO
NATURAL

«ESTAR EN EL REAL MADRID ES LA REALIZACIÓN DE UN SUEÑO QUE YO TENÍA DESDE NIÑO. LA HISTORIA DEL REAL ESTÁ LLENA DE CONQUISTAS A LO LARGO DE LAS DÉCADAS Y FUE SIEMPRE UNA LUZ QUE ILUMINÓ MI CAMINO».

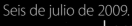

Seis de julio de 2009.
Lunes

El primer día del resto de su vida. La fecha en la que rubrica su contrato con el Real Madrid. El primer día que Cristiano pisa el Santiago Bernabéu. El primer día que se enfunda la camiseta blanca. Una jornada que no podrá olvidar fácilmente por mucho que pase el tiempo. Nunca en la historia del fútbol la presentación de un jugador alcanzó tamaña magnitud. Ni siquiera la de Maradona en el San Paolo de Nápoles, de la que justo el día anterior se habían cumplido 25 años.

El barrio de San Antonio de su Funchal natal, su barrio, estaba en fiestas. Como si quisiera celebrar que su hijo predilecto conseguía su penúltimo sueño. Llevaba mucho tiempo, semanas, meses, años, esperando ese día. Desde el 11 de junio que el Manchester United colgó en su página web la noticia del acuerdo con el Real Madrid para su traspaso por 80 millones de libras -94 millones de euros- se imaginaba cómo sería esa su primera experiencia en Madrid. Se enteró de la noticia en Los Ángeles, donde pasaba unos días de

vacaciones con su familia. Tan lejos, con su madre, Dolores, con sus hermanos Hugo, Elma y Katia, celebró la libertad. Él ya solo quería jugar en el Real Madrid y aterrizó con una etiqueta que no le pesa, pero que tampoco oculta: la del futbolista más caro de la historia superando los 73,5 millones de euros de Zidane, los 67 de Kaká y los 60 de Figo, curiosamente todos jugadores del Real Madrid por la gracia de Florentino Pérez.

No fue un día de veinticuatro horas. Fueron tan intensas que a Cristiano le parecieron muchas más. Se levantó pronto en Lisboa para asegurarse de que iba a llegar a Madrid en un vuelo privado a la hora prevista. Su agenda estaba milimetrada. Puso el pie derecho en la Base de Torrejón con veinte minutos escasos de retraso. Eran las 12.50. Vestía cazadora roja, vaqueros y deportivas. Pelo muy corto. Bronceado lógico después de tres semanas de vacaciones. Se cubría del sol justiciero que caía sobre Madrid con unas enormes gafas de sol. Solo pudo dar tres pasos antes de firmar el primer autógrafo, en un gran póster suyo que regalaba el diario MARCA con motivo de su llegada y presentación. A su lado, Jorge Mendes, algo más que un fiel amigo que le guía desde hace más de ocho años.

Por momentos se ve rodeado de los empleados del aeródromo. Una foto, dos, tres. Dos guardias de seguridad le abren paso. Sube al coche. A su lado Jorge Mendes y Zé, su cuñado y también fiel escudero. Se quita la cazadora. Hace y tiene calor. Luce una camiseta blanca de Nike, su marca patrocinadora. Intenta contemplar el horizonte, el camino que le lleva a la gloria, a través de los cristales ahumados. Está serio. Habla en portugués con sus compañeros de viaje. Lleva una botella de agua en la mano. Una cámara de Real Madrid televisión le marca al segundo como si fuera Carragher, el defensa del Liverpool con el que ha tenido muchos de sus duelos más enconados en la Premier.

Cristiano no se siente incómodo por el objetivo que le vigila.

—El español de Jorge es una vergüenza, el mío está muy bien.

Son sus primeras palabras en castellano. Vuelve a reír. Suspira profundo. Está feliz. La comitiva va camino de la clínica Sanitas de La Moraleja. Por los cristales se dejan ver las cuatro torres de la antigua Ciudad Deportiva del Real Madrid. Él no sabe que tienen nombre. Que fueron bautizadas por su nuevo presidente, Florentino Pérez. Son Figo, Zidane, Ronaldo y Beckham. Siempre por ese orden. Tal y como fueron llegando al club. Quién sabe si con el tiempo una torre aún más alta se elevará hacía el cielo capitalino y llevará su nombre.

Primera parada. Primer destino. Cientos de aficionados se amontonan en la puerta de la Clínica. Imposible contar las cámaras y micrófonos que le esperan. Un cordón de seguridad le permite andar veinte pasos seguidos. En la puerta le reciben los responsables médicos del club y del hospital. Todo está previsto. Se detiene en la entrada y posa con los galenos. El doctor Díez le susurra que le van a hacer solamente dos pruebas más. El jugador ya había pasado reconocimiento médico en Lisboa con el doctor Hernández diez días antes.

Dentro, el centro aparece colapsado. Empleados, pacientes, recomendados… Las escaleras están llenas. A Cristiano le abren paso por los pasillos. Llama la atención su enorme reloj, también su anillo y el pendiente del lóbulo de su oreja derecha. Llega a la sala donde es sometido a la primera prueba. Se quita su camiseta blanca. Está moreno. De su cuello cuelga una cadena de oro con un crucifijo. Todos los músculos de su tren superior están bien marcados. No cabe la menor duda de que, además de futbolista, es un atleta. Más fotos. Levanta el pulgar. Sonríe. Sabe posar. Segunda prueba. Podología y biomecánica. Se dirige a la salida. Firma autógrafos a los elegidos que han podido estar tan cerca. Más fotos. Firma un balón. Sonrisas. Entrar de nuevo en el coche no le resulta tan fácil. Julio Cendal, responsable de seguridad del club, se hace fuerte ante unos niños que se han saltado el cordón y rodean el vehículo. En todas las ventanas de la clínica hay curiosos asomados. Cristiano saluda a través de los cristales.

Próximo destino:
Santiago Bernabéu

En el camino, un semáforo obliga a detenerse al coche. Dos chicas le esperan como si hubieran estudiado la estrategia para llegar a su ídolo alejadas de la multitud que había en la clínica.

—Obrigado, obrigado por estar aquí, por estar en Madrid, por fichar por el Madrid…

Cristiano sonríe y baja la ventanilla.

—Tira, tira la foto…

Además estrecha la mano de la chica, que no para de darle los «obrigados». Está impaciente por llegar al estadio.

—¿Vamos al Bernabéu o no? Nunca he estado ahí.

Ya transitan por el Paseo de la Castellana. Desde un coche que se para al lado le hacen fotos con los teléfonos móviles. Se despide de sus ocupantes con un «ciao». El estadio se divisa al fondo. Cristiano mira ensimismado la enorme mole de cemento bautizada por Alfredo di Stéfano como «la fábrica». El coche gira a la izquierda. Concha

Espina. Ya hay aficionados en las puertas del estadio y faltan seis horas. Ni el empleado del club más veterano había vivido algo semejante para una preparación. El ambiente en los aledaños del Bernabéu es similar o mayor al de día de partido.

Sin darse cuenta ya está metido en un ascensor directo a las oficinas. Fija su mirada en el techo-espejo. Javier García Coll, el guardián y ángel de la guarda de todos aquellos jugadores que fichan por el Real Madrid y que le recibió a pie de avión una hora antes, le pregunta cuánto mide.

—1,86, contesta, mientras enfila hacia un despacho. Le recibe Manuel Redondo, director general del club y jefe del gabinete de Presidencia. García Coll pide a Jorge Mendes su pasaporte para completar asuntos burocráticos. El futbolista aprovecha para ojear los periódicos que hay sobre una mesa ante la atenta mirada de Antonio Galeano, director de comunicación del club. Apenas un minuto. Rubrica la ficha federativa.

Entra Jorge Valdano y se levanta educadamente. Se saludan. Firma la primera camiseta. La segunda. Ya tienen su nombre en la espalda. De hecho ya están a la venta en la tienda. Quince camisetas por minuto se calcula que se vendieron ese primer día.

Sale del despacho camino del restaurante. Ya pasadas las 14.30. Se hace unas fotos con las secretarias y nada más llegar al restaurante Puerta 57 fija su mirada en el terreno de juego que se aparece a través de los grandes ventanales. El césped está todo levantado y los operarios terminan de adecentar el escenario donde horas más tarde será su presentación, muy parecido al que acogió a Kaká unos días antes.

Valdano le explica que detrás de él estarán cuatro grandes fotografías, de Di Stéfano, Juanito, Raúl y Zidane.

—Juanito es uno de los grandes jugadores de la historia del Real Madrid que falleció en un accidente

de tráfico y al que los aficionados todavía recuerdan con cánticos todos los partidos en el minuto siete —le explica el máximo responsable de la parcela deportiva del club. Unos metros más allá se cruza con Eusebio, el mítico jugador portugués del Benfica, Balón de Oro en 1965 y a quien el Real Madrid ha invitado a la presentación de su compatriota. Eusebio está acompañado de algunos de los que en aquellos años sesenta fueron rivales directos y que escribieron las mejores hazañas de la historia del Real Madrid. Jorge Valdano ejerce de anfitrión y Cristiano va estrechando la mano de Zoco, Santamaría, Pachín, Amancio y Alfredo di Stéfano. Don Alfredo, presidente de honor del Real Madrid y el mejor jugador de todos los tiempos con permiso de Pelé, mantiene una buena relación con la «pantera negra», apodo con el que se conocía a Eusebio. Cuando estrechó la mano de Cristiano no pudo evitar mandarle un reto.

—A ver si usas bien el 9, tú.

Don Alfredo en estado puro. El 9 era su número. El que lució desde que llegara al Madrid en 1953 hasta 1964, que se marchó. Un dorsal mítico en la historia del club. El número de Pahiño (1948-53), Grosso (64-73), Santillana (71-88), Hugo Sánchez (85-92), Zamorano (92-96), Morientes (97-03) y Ronaldo (2002-07), aunque este en su primer año llevara el once. La herencia recae ahora en Cristiano.

Valdano explica a Eusebio las palabras de Don Alfredo.

—Es que Cristiano va a llevar el mismo número que él.

Cristiano tampoco entendió bien el mensaje y Valdano se lo explica ya sentados en la mesa del reservado.

—Alfredo, ya le conocerás, es una fábrica de historias, tiene un gran carácter, una personalidad muy fuerte. Te cuenta todo de su vida con una exactitud tremenda. Los goles que marcó, los que

falló… Incluso se enfada ahora otra vez al recordar por qué los falló.

Se incorpora a la comida José Ángel Sánchez, también director general del Real Madrid y sin duda el hombre que más ha trabajado en los dos últimos años para hacer posible que Cristiano esté ese día ahí, sentado en uno de los restaurantes del estadio esperando ser presentado horas más tarde. Se dan un abrazo. Antes de pellizcar el primer trozo de pan, Cristiano firma otro póster suyo. Valdano y José Ángel son los únicos representantes del club en la comida, el resto de comensales son del círculo más íntimo del jugador. Los veteranos se han quedado fuera, en otra mesa hablando de sus años, de sus recuerdos. Cristiano no había ni nacido cuando ellos eran historia viva del club y del fútbol.

Del restaurante al hotel Mirasierra Suites. Es el momento de un mínimo descanso. Si es que la mente puede dejar de maquinar en un día tan señalado e intenso. Pocos minutos después de las siete de la tarde ya está preparado. Antes de bajar, firma unos cuantos balones. Cambia su indumentaria de sport por un traje beige con camisa blanca y sin corbata. Aparece por el ascensor y la locura se desborda en el hall del hotel. La seguridad se ve desbordada. Más autógrafos. En la calle un par de centenares de aficionados. Muchos niños y gente joven. Saluda antes de meterse de nuevo en el coche.

Otra vez al Bernabéu. Ahora para rubricar su contrato de seis años, para conocer al presidente Florentino Pérez, para vestirse de blanco y pisar el césped,

aunque estuviera levantado, del Santiago Bernabéu por primera vez en su vida. Va a ser, también, el primer contacto con la que será su afición durante los próximos años. Aquella tarde el madridismo ya demostró su devoción por este jugador portugués llamado a hacer historia en el club blanco.

Llama por teléfono. «Voy para el estadio», comenta a su interlocutor. El cámara de la televisión del club, que vuelve a tomar posiciones en el asiento delantero del coche, le pregunta si está nervioso.

—No, tranquilidad, responde Cristiano, que tiene la mirada perdida en lo que puede ver más allá de los cristales del coche. Según se acercan al Bernabéu contempla cómo cientos de personas se dirigen al mismo escenario. Mira el reloj. Habla con Mendes y Zé, de nuevo compañeros de viaje. Inseparables los tres. Más sonrisas. Ya hay aficionados ante las puertas cerradas. Colas enormes.

—Es increíble, susurra el jugador, que no se podía imaginar una situación como esa. Está obnubilado.

—¿Hay partido hoy?, —pregunta jocoso Jorge Mendes.

Entran en las tripas del estadio. No hay tiempo que perder. Hay dos entrevistas previstas con Real Madrid TV. Primero en inglés y después en español, los dos idiomas en los que emite el canal. Todo está preparado. Cristiano se deja guiar. Ni una pega. Ni un reproche. Está moreno, pero aún así le dan los últimos toques de maquillaje. Sonríe mientas le empolvan la cara. Hay dos decorados montados. Alfonso Villar tiene el honor de hacerle la primera entrevista en castellano. Cristiano se siente cómodo y se deja entender perfectamente. Habla mejor de lo esperado la lengua de Cervantes, aunque le sale algún gallito a lo largo de la entrevista, como si estuviera un poco ronco. Sería que ya antes había estado hablando otros diez minutos en la versión inglesa.

—Es un día memorable para mí. Estoy muy contento. Hoy se cumple un sueño. Estoy muy confiado en que aquí voy a ganar mucho. Estoy en el club «cierto» (justo) para ganarlo todo. Es un sueño «concretizado» (hecho realidad).

Una bandera de España y otra del Real Madrid brillan a su espalda. Cristiano contesta con pausa, no le molestan las cámaras ni los focos. Todo lo contrario.

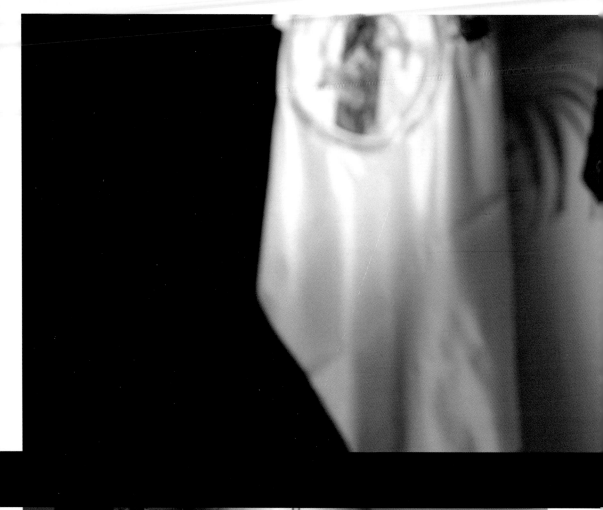

—Hoy empiezo de cero. La historia del Manchester ya ha terminado. Es un nuevo ciclo. Con las máximas ambiciones. Estoy preparado para todo. Confío en todos mis compañeros, los que han llegado y los que están. Yo siempre he sentido un gran respeto por este club, tenía que jugar aquí y lo he conseguido. Conozco su historia, los grandes jugadores que han jugado aquí. Es el equipo con más Champions y más famoso del mundo. Después del Manchester United solo podía jugar aquí. Voy a demostrar que mi contratación fue «cierta» (acertada). Llego a un club acostumbrado a ganar y que va a ganar otra vez.

Cristiano quiere dejar muestras de su sencillez y ofrece su lado más humilde.

—Tengo 24 años y me gusta aprender, sigo aprendiendo. Mi ciclo de aprendizaje no ha terminado. Con 24 o con 40, siempre se aprende. Las cosas no caen del cielo y por eso voy a seguir manteniendo la misma ambición. Es una coincidencia que en mi primer año aquí la final de la Champions se celebre en Madrid. Es un sueño jugarla y ganarla, aunque la prioridad siempre es la Liga.

No puede obviar lo que acaba de ver por las calles según se acercaba al Bernabéu y lo que, intuye, le espera dentro de unos minutos cuando salte al escenario.

—¿Va a haber un partido? Ja, ja, ja… Es increíble. Todo esto me da más motivación y confianza para dar lo mejor que tengo. Solo he estado una vez en mi vida en Madrid, pero es una ciudad que me gusta. Los españoles son mucho más parecidos a los portugueses y después de vivir en una ciudad como Manchester, ¡cómo no voy a poder vivir en una ciudad como Madrid! Aquí me voy a sentir más

en casa porque voy a estar más cerca de casa, de mis hermanos, de mi mamá, de mis amigos. Son tres horas de coche, una hora de avión.

Después de la Prensa espera el presidente. Juntos entran en el palco de honor. Florentino Pérez ejerce ahora de cicerone. Se acercan a las cristaleras desde donde se ve el terreno de juego. Las gradas ya están prácticamente llenas y falta casi una hora para la presentación.

—¿Va a haber partido ahora, presidente?—, comenta el futbolista riéndose. Sin duda se muestra impactado por lo que está viendo y viviendo.

Florentino no puede disimular su orgullo al pasear al lado de su objetivo número uno, un objetivo al que descubrió ni más ni menos que el mismo día que debutó en la Premier. Sí, aquel 16 de agosto de 2003, sábado, Florentino, desde Mallorca, vio las primeras

evoluciones de Cristiano con la camiseta del United en Old Trafford y posiblemente ya le introdujo en el disco duro de su ordenador. Ambos se dirigen a la sala de Juntas, donde se va a realizar el protocolario acto de la firma del contrato. Seis años. Saludan a Eusebio y a Di Stéfano y se hacen fotos con los dos. Florentino dispone la parte más noble de la mesa; de izquierda a derecha: Di Stéfano, el presidente, Cristiano y Eusebio. El resto de los directivos en sus escaños alrededor del ovalado tablero. Florentino y Cristiano firman. Se cambian las carpetas. Una, dos, tres, hasta cuatro rúbricas. El futbolista está serio, muy serio, como ratificando la trascendencia del compromiso que suscribe. Aplausos de todos los asistentes dan por terminado el acto. Más fotos. Nuevo apretón de manos. El presidente le regala un bolígrafo. Cristiano da las gracias. Dos obsequios más. Una reproducción del Santiago Bernabéu en plata y un reloj. Más fotos.

La comitiva enfila entonces hacia el vestuario. Llega el gran momento. Cristiano se dirige hacia su taquilla. Por escrupuloso orden numérico entre el 8, que será para Kaká, pero que todavía no tiene la foto del brasileño -como ocurre con la del resto de compañeros- y el 10, Sneijder. Se quita el traje en un abrir y cerrar de ojos y lo cuelga dentro. Más ceremonioso para vestirse. Media izquierda, media derecha. Pantalón y camiseta con su 9 correspondiente. Es una talla «L», pero está preparada una «XL». Cristiano se la ajusta bien. «En Portugal son más ajustadas», comenta. Llega el turno de las botas, primero la derecha, tira bien de los cordones, se la impregna al pie. Después la izquierda. Están relucientes. A estrenar, como merece la ocasión. Negras con el dibujo de marca en un verde-amarillo fosforito. Al final de la presentación se las regala a José Ángel Sánchez, que las guarda como un tesoro.

Se pone de pie y se mira al espejo. Le sienta bien el blanco. Turno para la sesión fotográfica. Le tiran un balón. «¿Esta es la bola de la Liga?». No, no lo es. Es un balón del club, un poco más pequeño.

—¡Qué bien te queda!, le piropea José Ángel Sánchez, que se hace una foto con el futbolista, Mendes y Valdano. Del balón al carné madridista. Fotos y más fotos. Sonrisa dentífrica. Posa con estilo. Es un profesional de la materia. El vestuario se ha convertido en un estudio improvisado. Se escuchan los gritos de fuera cada vez que se abre la puerta. «Hay más de setenta mil personas», le dicen. Cristiano hace un gesto. Se enfunda la camiseta con su nombre en japonés, después en chino, en árabe. Obedece todo lo que le dicen los tres profesionales que le están ametrallando a clics. Enseña el escudo. Agarra fuerte la camiseta. Le dan una bufanda. Otra vez el balón. Un beso. Saca los morros. Demuestra una paciencia infinita.

—¡Qué bien le sienta el blanco! Exclama Florentino Pérez. Está emocionado. Cristiano le tira un balón para que el presidente lo toque. Se lo devuelve a la primera. No quiere saber nada. Lo suyo no es eso. El futbolista comienza a hacer juegos malabares con el esférico.

—A ver si te va a salir mal ahora cuando salgas, a ver si te vas a poner nervioso…, le replica el presidente.

—No, no me pongo nervioso.

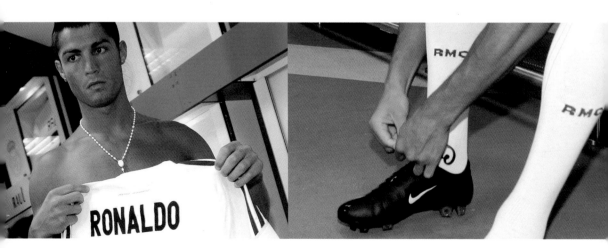

Se van todos del vestuario y se queda solo con García Coll. No para de juguetear con el balón. Se acerca a la puerta. Está impaciente. Hace ejercicios como si realmente se tratara de un partido. Estira, salta, vuelve a tocar el balón. Baja la escalera para pararse en el rellano final. Faltan segundos para que tenga que salir al campo. Se apoya en la pared de mármol. Respira fuerte. Suspira profundo. Manos en jarras. El himno del centenario comienza a rugir. La voz de Plácido Domingo embarga el escenario.

—¿Quién está cantando? ¿Es la misma música de los partidos?

Se lo explican. Se escucha nítido como los casi ochenta mil aficionados corean su nombre.

—Cristiaaaano, Cristiaaano, Cristiaaaano.

—La gente me llama aquí más Cristiano, ¿no?

García Coll le explica que para la afición blanca Ronaldo es el otro, el brasileño, al que el Bernabéu también adoró.

Cristiano escucha el himno con atención. Se escucha la voz de Florentino de fondo.

—Con estos dos gigantes del fútbol, vamos a recibir a otro. Bienvenido a tu Real Madrid. Tu profesionalidad y talento te han hecho cumplir uno de tus sueños. Te exigirán al máximo, pero también te darán todo.

El estadio está absolutamente lleno. Se han quedado en la calle diez mil personas. Sube las escaleras y se dirige a la plataforma donde le esperan ya el presidente, Di Stéfano y Eusebio. El futbolista aplaude a la afición. Se da la vuelta sobre sí mismo un par de veces para no olvidarse de los que le quedan detrás. Levanta los brazos. Sonríe. Aplaude. El paseíllo sobre la alfombra verde se le hace largo. Parece un torero después de la faena de su vida. La diferencia es que él ni siquiera ha dado un pase. Abraza a Florentino, a Di Stéfano, a Eusebio.

—¡Sí, sí, sí, Cristiano ya está aquí!, brama el Bernabéu. Palabras del presidente. Cristiano escucha. Saca la lengua, mira al suelo. Tiene la boca seca. Está emocionado. Suspira.

—De niño quería jugar en el Real Madrid. Esto es impresionante. Estoy muy feliz. Ahora yo cuento hasta tres y gritamos todos juntos ¡hala Madrid! ¿Vale? Decid todos conmigo: uno, dos, tres, ¡hala Madrid!

Ruge la marabunta. Aparece un balón y Cristiano lo amansa con sus toques. Malabarismo puro. Firma una «bola», como él dice, a un niño y le pone la camiseta a otro. Lo abraza. Inicia la vuelta al rectángulo. Aplaude.

Pierde la mirada en una bandera de Portugal y una camiseta de su selección con su número, el 17. Levanta los pulgares. Hay pancartas de todos los tipos. «Cristiano cásate conmigo». «Cristiano danos la décima». Lanza un balón a la grada. Besa el escudo. Recoge un abanico que le lanzan y se lo queda en la mano. Sigue correspondiendo a los aficionados. Se hace las placas de rigor con las nueve Copas de Europa.

Vuelve al vestuario. Se cambia. Todavía queda la cita con los Medios. Su primera conferencia de prensa como jugador del Real Madrid. Unos minutos para repasar toda la actualidad. Cristiano contesta a todas y cada una de las preguntas. Habla del número que va a llevar y confiesa que le hubiera gustado el 7, como en el Manchester, pero que comprende perfectamente que ese es el dorsal mítico en el club y lo lleva Raúl. «Además el número no juega, juego yo». Tampoco rehúye entrar en el precio de su traspaso ni en la rivalidad con el Barcelona. Define la jornada que había pasado como impresionante y reconoce que está cansado, así como que no esperaba que el Bernabéu se fuera a llenar de esa forma. Difícil cogerle en algún renuncio y muchas tablas para salir del trance.

Abandona la sala de Prensa. La cámara que le ha seguido todo el día le vuelve a apuntar.

—Fue un día impresionante, he disfrutado mucho. Muchas gracias a todos.

Le esperan unos días más de vacaciones antes de incorporarse definitivamente al equipo. La cita es en la Ciudad Deportiva de Valdebebas el 10 de julio. Su primer día de escuela. Madrugón al canto. Mientras busca casa en Madrid vive en el hotel donde llegó el día de su presentación.

Nueve y media de la mañana. La plantilla no está al completo. Faltan los jugadores que han disputado la Copa Confederaciones. Todos los objetivos persiguen al portugués, que se ampara en su compatriota de nacionalidad aunque brasileño de nacimiento, Pepe. Al lado del defensa realiza la carrera continua, los ejercicios. También Marcelo, que habla su mismo idioma y Heinze, con el que coincidió en el Manchester United… y también en el Sporting. El argentino jugó en el Sporting de Portugal una temporada, la 98-99, cuando Cristiano estaba en el infantil y actuaba de recogepelotas en los partidos del primer equipo.

Fin de semana de trabajo antes de partir hacia Dublín, donde le espera la pretemporada. Tanto a la ida como a la vuelta su compañero de asiento en el vuelo es Pepe. De alguna manera era su regreso a las islas y sus seis años en el Manchester le convierten en la referencia del equipo en los diez días que dura la concentración. El peregrinaje de los aficionados al hotel Carlton House de Maynooth, a media hora de Dublín, para ver de cerca a Cristiano obliga a montar una vigilancia especial en torno a su persona, pero el jugador quiere ser uno más. Tras un día marcado de cerca por Derek, un armario de dos por dos, que se tomó su trabajo muy en serio y apareció en todos los medios de comunicación como el guardaespaldas de Cristiano, el jugador solicitó que se lo quitaran de encima. La solución fue pedirle al eficaz guardián que se separara unos metros, que no le atosigara estando todo el día a su lado y le vigilara a una distancia prudencial.

Su integración al equipo es rápida. Duerme solo, como todos sus compañeros. En la habitación 223. A la hora de las comidas se sienta en la mesa de los más veteranos. Cerca de Raúl y de Heinze. Siempre hay una sobremesa para hablar de mil asuntos, no siempre de fútbol.

El primer partido amistoso llega el día 20 de julio. El rival es un equipo irlandés, el Shamrock Rovers. Cristiano es titular. Salta el último al terreno de juego con un niño de la mano, como el resto de sus compañeros. Le hace un par de guiños. En su primera instantánea de equipo sale al lado de Gago. Se escora a la banda derecha y saca a relucir su repertorio. Sprints, bicicletas, fintas, un par de golpes francos… Los aficionados le silban cada vez que toca el balón, quizá porque en Dublín hay más supporters del Liverpool que del United y la rivalidad no perdona.

El verano se va a hacer largo. Por delante la Peace Cup, la gira por Estados Unidos y tres amistosos más antes del comienzo oficial del Campeonato. En total ocho encuentros. Cristiano se estrena en el Bernabéu en un partido para olvidar ante el Al-Ittihad (0-0). Su primer gol, de penalti, llega dos días después frente a la Liga Universitaria de Quito (4-2). Esa noche jugó 73 minutos pero fue el mejor del equipo. Volvió a marcar al partido siguiente, también de la Peace Cup e igualmente de penalti. No fue suficiente. La Juventus ganó (2-1) y Cristiano sufrió una terrorífica entrada por parte de Grygera que hizo pensar lo peor. El susto recorrió el cuerpo de todos los madridistas, pero sorprendentemente abandonó el campo por su propio pie.

Su tercer gol consecutivo llega en el primer encuentro de la gira por Norteamérica. Fue su primer tanto de jugada. El segundo de su equipo, que goleó (1-5). Ese día se estrenan con el Real Madrid Kaká y Xabi Alonso. Cristiano no vuelve a ver puerta en el resto de encuentros de preparación. Se reservaba para los partidos oficiales.

Su estreno en la Liga se produce en el Bernabéu contra el Deportivo. Después de haber jugado en la Superliga portuguesa con el Sporting y en la Premier con el Manchester vuelve a experimentar los nervios del debut. Las cámaras están muy atentas a sus movimientos. Llega serio al estadio. De su hombro cuelga una bandolera y lleva en la mano un neceser. Es de los últimos en entrar en el vestuario. Antes saluda y se abraza a su compatriota Zé Castro, defensa central del Deportivo. Su objetivo ese primer día es marcar su primer gol oficial vestido de blanco. Lo consigue. A la derecha del portero lanza el penalti y adelanta a su equipo. Lo celebra con rabia. Un saltito y un gesto con los puños. Mira hacia la grada y levanta la mano.

Es el primero de una gran racha. En la segunda jornada vuelve a marcar en la victoria del Real Madrid en Cornellá ante el Español. Cuatro días después acontece otro estreno. La Champions. Una competición que le motiva especialmente. Bien sabe que la final de esta edición se jugará en el Bernabéu y que el gran objetivo del club es estar presente para intentar levantar la décima. En Zúrich, Cristiano marca por partida doble. El primero y el cuarto de su

equipo, que golea (2-5). Saca el cañón de su pierna derecha a pasear en sendos lanzamientos de falta. No había tenido fortuna hasta entonces con los golpes francos, pero la música de la Champions le inspiró. Dos cañonazos. El primero entró limpio; el segundo, tras doblar las manos blandas del portero suizo. El remate iba a 103 kilómetros por hora. Su mejor tarde-noche desde que viste de blanco, aunque ese día él y su equipo lucen el negro del segundo uniforme.

Vuelta a la Liga y otro doblete. La víctima el Xerez, en el Bernabéu. Otra goleada (5-0). Cristiano marca los dos primeros tantos. Abre el marcador antes de cumplirse el minuto de juego en una acción individual preciosa. Diagonal en la que va superando contrarios hasta encontrar hueco para golpear con su pierna derecha. El segundo, de cabeza a la salida de un córner en el minuto 75, la sentencia.

Pero su mejor diana aún está por venir. Tres días después, en Villarreal, Cristiano marca su mejor tanto, más bello y complicado aún que el primero ante el Xerez. Recibe el balón en su campo, a un metro de la línea divisoria, y mete la directa. Uno, dos, tres rivales salen a su paso sin poder impedir su progresión. Tampoco Diego López puede detener su remate seco y ajustado. Un golazo.

En este tiempo encuentra casa en Madrid. Un chalet en la Urbanización La Finca. Cerca de Raúl, el capitán.

Ya suma siete goles consecutivos en cinco partidos. No se podía imaginar una adaptación mejor. Pero en pleno estado de confianza llega la primera lesión importante, que frena en seco su extraordinario comienzo de temporada. Segundo partido de Champions. El Olympique de Marsella visita el Bernabéu. Tiene que ser él, nada más comenzar la segunda parte, quien abra la lata. Es el preámbulo de su primer revés como madridista. Cristiano es derribado por Diawara en el área. La entrada es muy fuerte, al tobillo derecho del portugués, que queda tendido en el suelo quejándose. Generoso, renqueante, prefiere que sea Kaká quien lance el penalti y marque el segundo gol. Antes de retirarse cojeando sensiblemente tiene tiempo para marcar su segundo tanto particular, tercero de su equipo.

Toda la Prensa internacional se hace eco de su comienzo de temporada y también de su lesión. Son cuatro goles en dos partidos de Champions y cinco en cinco partidos de Liga. Su mejor comienzo de siempre. Pulverizando todos sus registros con el Manchester United. La desgracia es que en la letra pequeña también se puede leer que tiene para dos-tres semanas de baja. No disputa el siguiente partido en Sevilla, primera derrota del Real Madrid en la temporada, pero se incorpora a la concentración de la selección portuguesa, que se está jugando la clasificación para el Mundial.

Portugal necesita a Cristiano más que nunca. Es su líder. Su hombre más desequilibrante. Además está en un gran momento de forma. Cristiano quiere estar, no puede dejar a su selección en la estacada. Fuerza para jugar contra Hungría y en la jugada en la que fabrica el primer tanto se lesiona. Apenas un cuarto de hora sobre el césped. La recaída le obliga a estar casi dos meses de baja.

A Cristiano ya le ha dado tiempo para saber lo que es ser jugador del Real Madrid.

—El Madrid está más bajo presión que el Manchester. En el entorno del club hay una actividad permanente. La Prensa está en todos los entrenamientos, algo que no sucedía en Inglaterra. La afición también y si no pueden entrar nos esperan fuera... Se pasan el día hablando de fútbol, del Real Madrid. Para mí no es ningún problema. Yo soy un futbolista profesional y me gusta la presión. Tampoco siento un plus especial por ser el jugador más caro del mundo. Es más, casi me gusta, es un honor extraordinario. Yo juego en un club grandísimo, con jugadores grandísimos, de qué me tengo que quejar...

MADEIRA

Prefiro ver-me como um menino. sempreLutaré
por ser um menino, pois só dessa forma
é possível encarar a adversidades da vida
de um forma menos difícil, com mais optimin
para aprender e melhorar sempre.

MADEIRA,

NIÑEZ Y UN AMIGO:
EL BALÓN

«PREFIERO VERME A MÍ MISMO
COMO UN NIÑO.
SIEMPRE PELEARÉ POR SER UN
NIÑO, SOLO DE ESA FORMA
ES POSIBLE ENCARAR LAS
ADVERSIDADES DE LA VIDA DE UNA
FORMA MENOS DIFÍCIL, CON MÁS
OPTIMISMO, PARA APRENDER Y
MEJORAR SIEMPRE».

Febrero. 1985. Día cinco.

Martes

Diez y veinte de la mañana. Cristiano Ronaldo Santos Aveiro viene al mundo. Le llaman Cristiano porque a una hermana de su madre, María Dolores, le gustaba ese nombre. Significa «el elegido». Y Ronaldo porque su padre, José Dinis, admiraba al por aquel entonces presidente de los Estados Unidos, Ronald Reegan, que antes se había ganado la vida como actor.

No fue una fecha ese 5 de febrero de grandes acontecimientos en el mundo. Se celebraba la festividad de Santa Águeda. El Papa Juan Pablo II estaba de visita apostólica por Trinidad y Tobago y la noche anterior, en España, se abrió la verja de Gibraltar. Tras quince años de incomunicación, el Estado español cumplía con su parte del acuerdo de Bruselas con Gran Bretaña. La verja se convirtió en una simple frontera. El presidente del Gobierno era Felipe González y los ministros de exteriores de los dos países se reunían en Ginebra para negociar el futuro del Peñón.

En el planeta fútbol, el Real Madrid estaba en crisis. Su presidente era Luis de Carlos, su entrenador Amancio Amaro y en el equipo estaban Valdano, Camacho y Juanito además de una emergente Quinta del Buitre. Fue aquella la peor temporada del club blanco desde el año 70. Llevaba todo lo que iba de año 85 sin conocer la victoria. Siete partidos. Desde el 16 de diciembre del 84. El domingo anterior se había disputado la jornada 23 y el Madrid había empatado con el Athletic (2-2). El Barça era líder y después se proclamaría campeón. Luis de Carlos anunciaba que Amancio era incuestionable y la Junta directiva del club acordó alquilar 96 asientos de palco a razón de un millón de pesetas por cinco años.

En Funchal, capital de Madeira, una isla de origen volcánico de 741 km², 57 kilómetros de largo, un ancho máximo de 22 y no más de

110 000 habitantes, una familia humilde estaba de enhorabuena. María Dolores y José Dinis tenían su cuarto hijo y Elma, Hugo y Katia andaban revueltos por la llegada del nuevo hermano. Todos vivían en una casa de protección oficial de tres habitaciones hecha de madera con el techo de uralita en *la feligresía* de San Antonio, uno de los barrios más populares de la capital construido sobre la ladera de la montaña y de difícil acceso.

Es difícil definir exactamente la Quinta de Falcao, el conglomerado de casas en el que vivía la familia. Hoy la edificación está destruida. Es un solar. Cuando Cristiano compró tres chalés adosados a su madre y los dos hermanos solteros, Hugo y Catia, en el barrio de San Gonzalo, la casa fue derribada porque había sido ocupada. Hoy, a pesar de todo, es centro de peregrinación de muchos turistas que acuden a la isla y quieren ver dónde nació uno de los mejores futbolistas del momento. Se encuentran con el descampado y una pista de fútbol sala de reciente construcción. Enfrente hay un bar con unos billares.

Bien hubiera querido Cristiano que en sus primeros años, cuando ya le daba patadas al balón en su empinada calle, hubiese existido ese lujo de campo. Lo suyo y lo de sus amigos era puro asfalto con dos piedras como porterías y mucho cuidado para evitar que un coche o una motocicleta te llevara por delante. El día de su bautizo el fútbol ya fue determinante. El padre José Dinis había elegido a su amigo Fernando Sousa como padrino y ese día tenía partido con el Andorinha, el equipo donde jugaba, en Ribeira Brava. El encuentro era a las cuatro y el bautizo a las seis. Como las carreteras por aquel entonces no eran lo mejor de la isla, el padrino llegó tarde. Más de media hora.

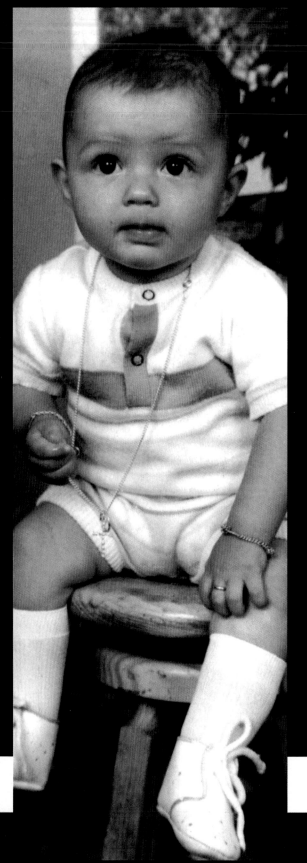

Todos los demás niños fueron bautizados y Cristiano, en los brazos de su padre, esperaba pacientemente a su padrino mientras la madre no podía ocultar su enfado y el párroco de Santo Antonio, Antonio Rodríguez Rebola, se desesperaba por la tardanza. Con el tiempo, Fernando Sousa resultó decisivo en los comienzos futbolísticos de Cristiano, pues él le llevó del Andorinha al Nacional y después buscó el contacto para llegar al Sporting. Y el párroco, que siguió sus pasos desde que le tuvo en la pila bautismal, siempre ha proclamado que tenía «un don especial para jugar al fútbol».

Su infancia estuvo marcada por el balón desde que echó a andar. Cuando tuvo la edad comenzó a ir al colegio Gonçalves Zarco, pero ya entonces su única obsesión era la «bola», como dicen en Portugal. Algo contribuyó a ello su padre, que además de funcionario del Ayuntamiento especializado en jardinería era el hombre orquesta de un club modesto llamado Andorinha donde hacía prácticamente de todo lo que se puede hacer cuando la imaginación tiene que sustituir al dinero. Papa José Dinis llevaba a Cristiano al viejo campo de tierra y un primo suyo, Nuno, a los seis años le terminó de convencer para que fuera a verle jugar y al final acabó apuntado en el equipo infantil. En la temporada 94-95, con nueve años, firma su primera ficha, con el número 17182 de la Federación de Fútbol de Funchal.

Rui Santos, presidente del club, recuerda su llegada porque le pareció especialmente chocante que un niño de tan corta edad se pasara todo el día con el balón para arriba y para abajo.

—Desde los seis años que le vi jugar en nuestro equipo comprendí que era un diamante. Se pasaba de la mañana a la noche jugando al balón. No podía predecir que iba a llegar donde ha llegado, pero el talento lo tenía y lo que más nos llamaba la atención a todos es que no quería perder nunca, se enfadaba si perdía.

Francisco Alonso, maestro de su Escuela y uno de sus primeros entrenadores, también tiene su recuerdo.

—Jugábamos mucho tres contra tres y ahí aprendió a dominar los pequeños espacios. Ahí descubrimos su técnica y su rapidez de movimientos. Jugaba con los dos pies. Los sábados disputaba partidos de siete contra siete y los domingos de once contra once. Quería jugar todos.

A Cristiano no le gustaba estudiar. Lo justo. Él lo que quería era llegar a casa, perder el menos tiempo posible en la comida y escaparse por la ventana de atrás para seguir con la «bola» para arriba y para abajo. Su profesora le recriminaba continuamente su obsesión balompédica.

—No te das cuenta de que no te vas a ganar la vida con el fútbol. Lo verdaderamente importante son los estudios.

Caso omiso. Tampoco su madre tenía más suerte, aunque a ella no le disgustaba que tuviera tanta afición porque le gustaba al fútbol y no le importaba tener un hijo futbolista. Su ídolo era Figo y su equipo, el Sporting. Tanto como para pintar de verde y blanco la planta baja de su nueva casa en el barrio de San Gonzalo donde ahora vive, justo al otro lado de la ciudad. Una casa de dos pisos con paredes blancas y una enorme terraza con vistas al Atlántico. Cristiano era un niño sumamente delgado, pequeño. Así lo recuerda Paolo Sereno, alias Guti, sí, como el madridista, que coincidió con él en las categorías inferiores del Sporting y que ahora juega en un equipo de Madeira. «Le llamábamos fideo».

María Dolores sufría por su hijo. Siempre jugaba con niños mayores y tenía miedo de que le rompieran algo. Sin embargo el padre, José Dinis, le decía que nunca le pillarían porque era muy rápido. Tanto como para que jamás el señor Agostinho, que tenía un huerto justo donde jugaba con los amigos, llegara a tiempo para quitarle el balón cuando se colaba en su propiedad. Cristiano siempre lo recuperaba antes. Quedarse sin su «bola» hubiera sido traumático. No es extraño que por aquel entonces le llamaran «abelinha», porque era pequeño, rápido y no paraba de moverse zigzagueando como una abeja.

ESCOLAS

ÉPOCA

94-95

REGIONAL

ASSOCIAÇÃO
DE FUTEBOL
DO FUNCHAL

NOME CRISTIANO RONALDO DOS SANTOS AVEIRO

CLUBE Clube Futebol Andorinha

LICENÇA N.º

17.182

O SECRETÁRIO GERAL

En Funchal siempre ha habido dos grandes clubes, el Nacional y el Marítimo. Los dos controlan todos los equipos no solo de la capital, sino de la isla. El talento de Cristiano comenzó a ser objeto de conversación en los ámbitos futbolísticos y ambos quisieron ficharle porque el Andorinha se le quedaba pequeño. Curiosamente el padre de Cristiano prefería que fuera al Marítimo, cuyo estadio estaba cerca de Quinta de Falcao, e incluso había hablado con alguno de sus directivos. Pero la madre y el padrino querían que firmase por el Nacional. Como no había acuerdo el presidente del Andorinha, Rui Santos, convocó a los dos clubes para conocer sus ofertas exactas y como el Marítimo no compareció, el jugador acabó en el Nacional a cambio de equipaciones y balones. No fue una gran recompensa, pero con el tiempo el Andorinha salió muy favorecido de haber sido su primer club y recibió ayudas del Ayuntamiento, hasta el punto de que su viejo campo de arena es hoy un campo de hierba artificial y con iluminación. En la isla siempre se ha comentado que esa fue la gran derrota histórica por excelencia del Marítimo ante el Nacional.

Cristiano ya tiene diez años y lo primero que tuvieron en cuenta los técnicos del Nacional es que el niño estaba poco desarrollado e incluso algo desnutrido, por lo que recuerda Enrique Talinhas, uno de sus primeros entrenadores, recomendaron a sus padres que le obligaran a comer algo más de ese plátano y ese yogur que Cristiano se llevaba cuando se iba a jugar a la calle. Años después en el Sporting también incidieron en el asunto y le obligaban a tomarse dos platos de sopa al día.

Cristiano conquista su primer título regional con el Nacional en la temporada 95-96. Talinhas recuerda que marcaba las diferencias, pero que era demasiado individualista.

—Se sentía tan superior a los demás que no quería pasar el balón a nadie. No quería jugar de delantero-delantero. Prefería más atrás para entrar más en juego y subir el balón al ataque. Había que tener mano izquierda con él porque no le gustaba que le reprendieras en público, delante de los compañeros. Era muy orgulloso. Había que decirle las cosas a solas y entonces escuchaba e intentaba hacerlo.

Antonio Mendonça le tuvo a sus órdenes los dos años que estuvo en el Nacional y también daba mucha importancia a que se hubiera formado en la calle, como después destacaría igualmente Aurelio Pereira a su llegada al Sporting.

—Ayuda a formar el carácter. Siempre jugaba contra chicos mayores. Su técnica era innata, pero tenía que aprender a esquivar los golpes. Nuestra primera batalla fue hacerle comprender que el fútbol es un deporte colectivo. Le gustaba coger el balón en su campo e irse para el área contraria. Se sentía tan superior a los otros que no les pasaba la pelota. Los compañeros le soportaban porque marcaba muchos goles y ganábamos por nueve y por diez. Tenía ya

una gran capacidad para driblar, una extraordinaria velocidad. No tenía miedo. Era fantástico verle jugar. No aceptaba nunca la derrota. Lloraba y se encaraba con los compañeros si perdía. El adversario le importaba poco. No aceptaba perder.

En esas dos temporadas comienza a destacar tanto que su nombre vuela al continente. Fernando Sousa, su padrino, está convencido del futuro de su ahijado y cree que es el momento, aunque tenga 11 años, de dar el salto. Por ello se pone en contacto con Joao Marqués de Freitas, sportinguista de pro y siempre atento a cualquier chaval que pueda aconsejar a su club. Dicho y hecho. Hablan y se hace la gestión con el Sporting. Una deuda del Nacional con el club lisboeta por el traspaso de un juvenil, Franco, facilitó mucho la operación. Cristiano era un poco más hincha del Benfica, como su padre, pero no puso impedimentos. Mamá Dolores volvía a ganar. Primero apostó por el Nacional y allí se fue. Ahora prefería el Sporting y allí llegaba. Al fin y al cabo ella quería que Cristiano fuera «verde» como Figo y el primer paso estaba dado. Un paso de gigante, de 860 kilómetros, los que separan Funchal de Lisboa.

3

LISBOA

Não é fácil para uma criança de 12 Anos deixar a sua família, a sua ilha. por Vezes o medo Acompanhava-me, mas nunca superou os meus desejos e os meu sonhos. Eu tinha uma meta, ser oro grande fodticlon. e Aqui Estou.

LISBOA,

LAS LÁGRIMAS
QUE LE HACEN HOMBRE

«NO ES FÁCIL PARA UN NIÑO DE 12 AÑOS DEJAR A TU FAMILIA, DEJAR TU ISLA.
A VECES EL MIEDO ME ACOMPAÑABA, PERO NUNCA SUPERABA MIS DESEOS, MIS SUEÑOS. YO TENÍA UNO, SER UN GRAN FUTBOLISTA. Y AQUÍ ESTOY».

Una llamada de
teléfono

cambia radicalmente la vida de ese chaval «flaquinho y muy llorón» -como él mismo se define- del que ya se comienza a hablar en todos los ámbitos futbolísticos de Funchal. El Sporting es sin duda el club portugués que más cuida la cantera. El tiempo y la realidad demuestran año a año, generación a generación, que su Academia, la primera del país, es una fábrica de talentos y que el hombre que se encarga de dirigirla, Aurelio Pereira, es un iluminado que sabe ver en los chavales de 13-14 años, a veces más jóvenes como el caso de Cristiano, algo que los demás técnicos no terminan de descubrir. Él y su equipo de colaboradores, un total de veinte en estos momentos pero por aquel entonces, en el año 97 cuando reclutan a aquel chaval de Funchal eran bastantes menos y casi amateurs.

No es casualidad que Futre, Figo, Simao, Joao Pinto, Hugo Viana, Quaresma, Cristiano, Nani… por citar los hombres más internacionalmente conocidos hayan salido del mismo vivero. Es cuestión de organización y de intuición. Es cuestión de trabajo y paciencia. Muchos se habrán quedado en el camino, como en otros clubes. Pero a los que su talento les permite cruzar la frontera entre el buen futbolista y el gran futbolista en esa cantera verde salen adelante con mucha más facilidad. Allí se forman como futbolistas y como hombres y Cristiano bien puede atestiguar que a él le mimaron y educaron como si fueran de su propia familia.

Corría el primer trimestre del año 97 y una mañana Aurelio Pereira recibió una llamada desde Funchal. Al otro lado de la línea, uno de los colaboradores del club, Joao Marqués de Freitas (el Sporting tenía y tiene repartidos por todo el país, y también en el extranjero, una serie de ojeadores que controlan núcleos territoriales y a todos los chavales que jueguen por esa zona). Marqués de Freitas, fiscal general de la isla, además de ser sportinguista y colaborar con el club era aficionado del Nacional, el equipo en el que jugaba Cristiano. Fue tanto el fervor, las explicaciones y el convencimiento de su interlocutor al hablar de las cualidades de un chaval de 11 años -en febrero cumplió los 12-, que Aurelio Pereira admitió que viajase a Lisboa a hacer una prueba.

De la mano de su padrino, Fernando Barrosa Sousa, Cristiano fue a la capital. Era la primera vez que salía de la isla, que cogía un avión. Aquellos tiempos, aunque no lejanos, no eran estos. La Academia del Sporting solo era un proyecto. Entonces el trabajo de reclutamiento de chavales era el mismo, pero las condiciones, no. La cantera sobrevivía en unos campos adyacentes al viejo estadio de Alvalade, muy cerca de donde hoy se levanta el nuevo estadio. Como solo había tres campos, a veces el club utilizaba otras instalaciones de la ciudad para los entrenamientos de sus categorías inferiores. Y en una de ellas fue donde Cristiano hizo su prueba.

Paulo Cardoso, hoy en el departamento de reclutamiento internacional, era uno de los técnicos presentes aquel día:

—Organizamos un partidillo. Por su físico, Cristiano no llamaba la atención, además había chicos mayores en esa prueba. La primera vez que cogió el balón ya se fue de dos o tres. Miré a Oswaldo, el otro técnico que estaba a mi lado, y le dije: ¿Has visto? ¿Qué es eso? Pasan los minutos y repite la misma acción, velocidad, regates, coordinación… Como nos llamó tanto la atención al día siguiente le hicimos una segunda prueba, pero ya decidimos que fuera en los campos nuestros, pegados al estadio, para que Aurelio Pereira y otros técnicos pudieran observarle con más tranquilidad y comodidad».

Ese segundo entrenamiento fue determinante. Ya no fueron dos los técnicos impresionados, sino todos los presentes, Aurelio Pereira incluido. Y él tenía conocimiento de causa y casos para poder comparar, aunque objetivamente solo hubiese habido una situación tan precoz, la de Futre, al que descubrió con nueve años e incorporó al Sporting con diez.

—Lo que más me llamó la atención de Cristiano, además de su talento natural, fue su actitud de vencedor. No parecía un chaval de su edad procedente de una isla, no tenía miedo, era valiente,

decidido. Yo había tenido experiencias con chicos dos y tres años mayores de Azores, Madeira, Mozambique, Angola… y les costaba mucho la adaptación. Con nosotros jugaba con chicos mayores y él se sentía más motivado. Siempre tuvo una gran determinación que se desprendía de su personalidad. En el plano psicológico parecía indestructible. No tenía miedo de nada. Ni de jugadores mayores que él. Desde el primer entrenamiento también los otros chicos se dieron cuenta de sus cualidades y le buscaban en el vestuario para ser sus amigos. Su carisma y actitud para ser un líder se confirmaron muy pronto. Solo tengo en mi memoria un caso parecido al suyo, quizá porque fueron los más jóvenes: Futre. Tenían la misma pasión, el mismo fuego, las mismas ganas de triunfar. Futbolísticamente se parecían, eran rápidos, regateaban. Quizá Cristiano tenía más potencia porque Futre casi no podía con el balón cuando llegó, con diez años. Recuerdo perfectamente su truco, él corría y regateaba defensas a toda velocidad para tomarse unos metros y unos segundos de respiro, y cuando llegaba cerca del área y tenía que centrar o chutar levantaba el balón para golpearlo en el aire y así llegar a la puerta o al compañero que fuera a rematar.

No hay más pruebas y pocas dudas. El informe de los técnicos queda rubricado el 17 de abril. Lo firman los dos entrenadores que le vieron el primer día: Oswaldo y Paulo Cardoso. En esa especie de ficha, además de

todos los datos personales del jugador se determina que su posición es la de delantero centro o segundo punta y en las explicaciones técnicas se escribe: «Jugador con un talento fuera de serie y técnicamente muy desarrollado. Es de destacar su capacidad de regate en movimiento o parado». Tres líneas escritas a mano que son definitivas.

Se daba la casualidad que el Nacional tenía una deuda con el Sporting por el traspaso de un jugador que equivalía a los 25 000 euros de ahora, entonces casi cinco millones de escudos, y la oferta del club de Madeira es saldarla a cambio del jugador. No le pareció mal idea a Aurelio Pereira. Aunque consciente de que se trataba de una cantidad desorbitada por un jugador de 11 años, también

pensó que era la única forma de liquidar esa cuenta porque el Nacional no tenía dinero líquido para hacerlo. Nunca en su historia, ni antes ni después, el Sporting había pagado tanto ni siquiera por un juvenil, y Cristiano era un infantil. El visto bueno de los técnicos ya estaba, pero ahora había que convencer al club de que la operación se debía realizar. Pereira elaboró un informe recomendando su fichaje y explicando la situación económica y se lo presentó al director financiero, Simoes Almeida. La respuesta literal que recibió Pereira fue: «¿Estás loco?» Tuvo que echar mano de todos sus poderes de convicción para intentar que Almeida firmase la aprobación, hasta el punto de que de su puño y letra debió hacer en el escrito presentado una nueva confirmación de que se trataba de un jugador

interesante para su edad y que lo han visto ellos mismos, que no hablaban de oído.

—Es evidente que entonces sabíamos que era bueno, muy bueno, porque era rápido y manejaba las dos piernas. Pero tampoco podíamos pensar que fuera a llegar hasta donde ha llegado. Lo que también teníamos bien claro es que no podíamos quedarnos con el remordimiento de no ficharlo y después estar toda la vida arrepintiéndonos. También parece evidente que si hubiera permanecido en Madeira, sin la disciplina, sin el apoyo y el cuidado que nuestros técnicos dan a los chavales, a lo peor se podía haber quedado en un buen jugador. Estar en la capital, en el Sporting, cuya cantera tiene fama internacional, también ayudó a su desarrollo y a que pudiera sacar todo lo que llevaba dentro.

Pereira siempre ha mantenido una teoría sobre los chavales y destaca que los que salen del fútbol de la calle o que juegan en la playa son mejores porque no tienen miedo a nada, lo intentan todo. Son más frescos. Más osados. Tienen más espontaneidad. Cree que a Cristiano las aceras y el asfalto le dieron la base de su técnica y le permitieron conocer las artimañas del juego más allá de lo que después pudiera aprender ya con entrenadores más formados.

En el despacho de la ahora flamante Academia, Pereira y Cardoso recuerdan con hilaridad aquellos momentos. Según lo cuentan parecen revivirlos. En las paredes hay fotos de todos los jugadores que han pasado por sus manos, pero es evidente que Cristiano es su preferido. Hay más fotos de él que de otros, aunque allí aparecen Figo, Futre, Quaresma, Nani… y además una camiseta del Manchester, con el 7 a la espalda y una dedicatoria del jugador, ocupa lugar preferencial.

Fuera, una Ciudad Deportiva modelo, en medio de una gran superficie de espacio protegido en Alcochete, a media hora en coche de Lisboa, atravesando el Puente Vasco de Gama y muy cerca también de Montijo, el pueblo en el que nació Futre. La Academia del Sporting es un ejemplo en Portugal. No solo por ser la primera con esas características tan completas, creada en el 2002, sino por sus modélicas instalaciones con dos residencias, una para los chavales que llegan de fuera y otra para el primer equipo, y un total de seis campos de entrenamiento. Allí se concentró Portugal durante la Eurocopa 2004. Una fábrica de talentos.

No tuvo Cristiano la suerte de disfrutar mucho de ella porque voló a Manchester; solo pudo entrenarse los dos últimos años. Cuando él llegó a Lisboa su destino fue el viejo estadio Alvalade, donde además de los tres campos de entrenamiento el club había prefabricado en sus entrañas un espacio más o menos amplio para los chicos que llegaban de fuera de Lisboa. Allí vivió cuatro temporadas. Una vez que el director financiero aceptó la operación se oficializó el fichaje. Cristiano regresó a Madeira para seguir jugando en el Nacional hasta final de esa temporada (96-97) y la última semana de agosto fue citado en Lisboa para incorporarse definitivamente al Sporting. Su primer equipo iba a ser el infantil. En ese verano, Aurelio Pereira se desplaza a Funchal para firmar toda la documentación y conocer a los padres del jugador.

Cristiano tiene grabado en su retina cómo fue la despedida de sus hermanos, de su padre. Estaba deseando cumplir uno de sus sueños, pero al mismo tiempo su corazón no quería dejar su casa, sus amigos, su empinada calle del alma, Quinta Falcao, donde tantas horas había dedicado al balón. Su madre, María Dolores, le acompaña a Lisboa. En el Sporting están convencidos de que Cristiano no sería hoy lo que es sin el apoyo de la madre. En todos esos años que su hijo pasó solo en Lisboa, siempre confió y apoyó lo que se le recomendaba desde el club, casi siempre personalmente por Aurelio Pereira, tanto en los aspectos puramente futbolísticos como en los educativos

—En momentos determinados se ponía de nuestro lado y no del lado de su hijo y eso fue muy

importante. Su comportamiento fue vital. Es la responsable número uno de que Cristiano sea hoy Cristiano. Sí, puede que lo pasara muy mal en los primeros meses, pero es lo más normal del mundo. Lo que no habría sido lógico es que no hubiera echado de menos a su familia. Además él venía de una isla, de un entorno muy localizado.

El mismo Cristiano reconoce que lo pasó mal, muy mal, esos primeros meses.

—No es fácil a los doce años dejar a tu familia, tu pequeña isla de donde yo venía. No de Oporto o de otra ciudad grande. Llegué solo. Tampoco era normal para los demás mi situación, no lo era para nadie. Tampoco era corriente tener una oportunidad así. A veces el miedo me acompañaba, pero nunca pudo con mi deseo, con mi sueño. Yo tenía uno, ser un gran futbolista. Y aquí estoy.

Su vida cambia radicalmente. Por la mañana, hasta las cinco de la tarde, estudia en una escuela pública concertada con el Sporting y por la tarde se entrena con el equipo. El estadio se convierte en su nueva casa durante cinco años. Son siete habitaciones con cuatro camas cada una, una sala para ver la televisión, leer o simplemente charlar con los compañeros, y un baño para los 28 privilegiados en los que el club había confiado para escribir su futuro. Nunca había habido antes un chaval de 12 años. Fue una excepción. Todos llegaban con 15-16 años. Futre, reclutado con 10 años, tenía la ventaja de que vivía en Montijo y, aunque era una paliza diaria desplazarse desde su pueblo a Lisboa, al menos estaba en su casa, con los suyos, aunque también hubo determinados periodos que se quedaba a dormir en esas instalaciones del estadio.

En la escuela, esos primeros días, Cristiano también lo pasa mal. Ha trascendido, porque él mismo lo ha contado en alguna entrevista, una anécdota que sucedió en la primera semana de curso.

—Al entrar en clase nos llamaban por nuestro número. Yo tenía el 5. Me levanté y dije mi nombre. Cristiano Ronaldo. Todos los compañeros comenzaron a reírse por mi acento. Se estaban burlando de mí. No me sentó bien. Comencé a enfadarme porque no se callaban hasta que amenacé a la profesora con una silla. Para ellos era como si hablara una lengua extranjera. En Portugal los acentos cambian mucho según la región, pero el de Madeira es aún más especial. En esos tiempos todos se reían de mí por mi forma de hablar. Yo reaccionaba mal. Tenía 12 años. Ahora se puede ver como algo comprensible, como una anécdota, pero entonces no lo veía así.

Saudade. Esa es la palabra. Es rebelde. Tiene carácter. Incluso está castigado sin jugar algún partido por cuestiones domésticas de negarse a barrer algo que había tirado o se había caído al suelo durante las comidas. «Yo soy jugador del Sporting, no tengo que recoger nada del suelo», dicen que argumentaba orgulloso. Habla con su casa un mínimo de tres veces a la semana. También los padres y los hermanos lo pasan mal, sobre todo cada vez que le escuchan llorar al otro lado del teléfono. Cada dos por tres su padrino, Fernando Barroso Sousa, tiene que convencerles de que la situación, aunque no agradable, es la mejor para el chaval, que futbolísticamente la isla se le ha quedado pequeña y que en Madeira nunca podrá desarrollar su carrera como en Lisboa.

No es mal estudiante, tiene capacidad, pero su pasión es el fútbol y solo quiere jugar, jugar. Fútbol. Fútbol. Su asignatura preferida es Ciencias. La que más odia, el inglés. Paradojas de la vida, años después acaba firmando por el Manchester sin saber una palabra en ese idioma. Ni siquiera comprendió bien el saludo de Van Nistelrooy recién aterrizado en la ciudad deportiva: How are you?

Además de los entrenadores que trabajaban específicamente la parcela futbolística, el club ponía a los chavales una especie de tutor que estaba pendiente de sus estudios o de los problemas que pudieran surgir. Leonel Pontes, uno de los técnicos, estuvo siempre preocupado por él. También era de Madeira y eso les hizo mantener una relación muy especial.

La vida de Cristiano transcurre año tras año como la de cualquier chaval de su edad, con la principal diferencia de que él duerme en un estadio de fútbol. Es un apasionado de todos los deportes. Le gusta mucho el atletismo y lo practica. No hay ni que decir que es el más rápido de su edad y el que más salta. Según va evolucionando su físico le encanta ir al gimnasio. Abdominales, flexiones, pesas en los tobillos para los ejercicios… Muchas veces le tienen que cerrar la sala o echarle de ella porque se pasa las horas muertas. Sus mejores amigos son Fabio, Semedo y más tarde

JOGADORES Á EXPERIÊNCIA

FICHA DE IDENTIFICAÇÃO

Nome CRISTIANO RONALDO SANTOS AVEIRO

Filiação JOSÉ DINIS PEREIRA AVEIRO

MARIA ~~DELORES DOS~~ Dolores dos SANTOS ~~AVEIRO~~ ~~VIVEIRO~~ AVEIRO

Data de Nascimento 05 / 02 / 85

Naturalidade S. PEDRO - FUNCHAL

Nacionalidade PORTUGUESA

Residência QUINTA FALCÃO - 27 A - SANTO ANTÓNIO
9000 - FUNCHAL

B. I. n.° 12490071 de 08 / 11 / 93 , de Lisboa

Telefone 091 / 49252

Clube de origem NACIONAL DA MADEIRA

Lugar a que joga MÉDIO-CENTRO, 2ª PONTA DE LANÇA.

Escalão etário INFANTIL 97/98

Parecer do Técnico JOGADOR COM UM TALENTO FORA-DE-SÉRIE,
É TÉCNICAMENTE MUITO EVOLUIDO. É DE DESTACAR A SUA
CAPACIDADE DE DRIBLE EM MOVIMENTO OU PARADO.

Outras referências

Inscrever: Sim ☒ Não ☐

17/4/97

O Técnico

PAULO CARDOSO

Miguel Paixáo y, a pesar de ser más pequeño en edad, es el líder del grupo hasta el punto de que cuando tienen algún problema en la calle o un campo él es siempre el que da un paso al frente para defender a todos.

Va escalando equipos y acaparando reconocimientos y trofeos individuales en los torneos que disputa. Ha adquirido la buena costumbre de quedarse solo a entrenar cuando sus compañeros se van a la ducha. Paulo Cardoso recuerda que ya entonces tenía una especial obsesión con el lanzamiento de libres directos. Como se quedaba solo y no tenía a quien poner en la barrera, ponía picas altas para intentar superarlas por arriba una y otra vez. Se presenta voluntario para ser recogepelotas en los partidos del primer equipo en Alvalade y con los cinco euros que le pagan por partido se da un festín de pizza con sus compañeros más cercanos. En la temporada 2001-02 su rendimiento es extraordinario.

Pasa por el equipo sub 16, sub 18 y junior y Boloni, el técnico rumano que acaba de llegar, quiere incorporarlo al primer equipo, pero el Centro de Medicina de Deporte de Portugal no le concede la autorización al estar en pleno crecimiento. En Portugal cuando eres juvenil y quieres subir dos categorías de golpe, como era el caso, tienes que pasar un reconocimiento médico y el dictamen es negativo. Se considera que hubiera sido un cambio muy brusco en un momento delicado de su crecimiento. También tiene unos problemas de corazón. Los médicos del club se preocupan al principio, pero tras varios reconocimientos llegan a la conclusión de que es una lesión congénita que provoca que le suban las pulsaciones más de lo normal, pero que no le impide seguir jugando a un máximo nivel sin ningún tipo de riesgo.

En agosto de 2001 firma su primer contrato profesional por cuatro años y ya pasa a vivir a un hostal cerca de Marques de Pombal, una de las plazas emblemáticas de la ciudad, junto con su inseparable Miguel Paixáo. Su sueldo es de 1.250 euros al mes, pero el club le pone una cláusula de

20 millones de euros. En la temporada siguiente juega ya en el primer equipo y gana 2.000 euros. Parte de ese dinero se lo manda a su madre a Madeira, como había hecho religiosamente con gran parte de los 250 euros que recibía en sus primeros años en el club. Gana más por primas que de sueldo. En el Sporting son conscientes en todo momento de que su nombre había trascendido y que varios equipos extranjeros estaban siguiéndole. Las primeras noticias al respecto se fijan en un Europeo sub 17 en el que el Liverpool, entonces entrenado por el francés Houlier, ya le ha tomado la matrícula, pero consideran que es demasiado joven, 16 años, para incorporarle a la Academia de Anfield. El Inter, por medio de Luis Suárez, también le sigue de cerca, pero la buena intuición del técnico no es respaldada por el presidente Moratti.

Esa temporada 2001-02 deja de dormir en las habitaciones del estadio y se marcha a una residencia con otros compañeros. Al final de esa campaña pasa a vivir a un apartamento, ya solo. Entonces es cuando recibe más asiduamente la visita de su madre y cambia de representante. De Luis Veiga, que también entonces era el mánager de Figo, a Jorge Mendes, con el que todavía continúa y ha forjado una gran amistad. Juega en el equipo junior, sub-19, y pasa a entrenarse dos veces por semana con el primer equipo, con el que debuta en un partido amistoso contra el Académica de Coimbra, ya casi a final de temporada. Curiosamente el Sporting sale campeón y se clasifica para jugar la previa de la Champions. Superado el hándicap del informe médico, Boloni incorpora definitivamente a Cristiano al primer equipo del Sporting para la temporada 2002-03.

Recuerda perfectamente que el primer amistoso serio de esa pretemporada es contra el Betis en el estadio de Maia. Sale en la segunda parte, con empate a uno en el marcador, y marca el gol del triunfo. Se colocó el balón con el tacón y remató cruzado al segundo palo ante la salida del portero. Lo celebra a la grande. Es un simple partido de pretemporada, pero se trata de su primer gol con el primer equipo y supone un triunfo.

El 13 de agosto es su debut oficial. Nada más y nada menos que en el partido de previa de la Champions y ante el Inter de Milán. Es su estreno en Alvalade. Entra en el minuto 58 por Toñito, un jugador español, de Tenerife. El partido acaba con empate a cero. Cristiano deja detalles que trascienden al aficionado y a la Prensa. Enfrente ha tenido a Zanetti. Al terminar el partido, cuando se dirige andando con familiares y amigos hacia su apartamento y un par de periodistas que se cruzan con él le dicen que ha estado muy bien, Cristiano, que está triste porque piensa que lo podía haber hecho mucho mejor, les contesta: *Vosotros no habéis visto nada de mí.*

Es su constante. Más y más. Superación. Autocrítica. El Sporting es eliminado de la previa en el partido de vuelta en San Siro y pasa a disputar la Copa de la UEFA. Pierde (2-0) y Cristiano no juega. Pero sí lo hace en los partidos de la UEFA frente al Partizán. No es titular en Alvalade, pero entra por Rui Jorge. Derrota casi definitiva (1-3) para las aspiraciones europeas del equipo. En la vuelta, en Belgrado, es titular. Empatan (3-3) y los portugueses caen eliminados. Toda la atención queda centrada en el Campeonato portugués. Debuta el 29 de septiembre en Braga, quinta jornada, y el equipo pierde (4-2). A la siguiente ya es titular y marca sus dos primeros goles con la camiseta verdiblanca. El rival fue el Moreirense. Tiene exactamente 17 años, 8 meses y 2 días y se convierte en el goleador más joven de la historia del Sporting. Fue el gran protagonista del partido a pesar de que esa tarde reapareció Jardel, el delantero brasileño que había estado cuatro meses fuera de los terrenos de juego por depresión y que la temporada anterior había sido máximo goleador del equipo y Bota de Oro.

Su primer tanto es una pequeña obra de arte. Recordó al de Maradona a Inglaterra en el Mundial de México. Al segundo, no al que metió con la mano. Dos o tres regates salvando tres defensas en el slalom hacia la puerta antes de superar a Joao Ricardo. El segundo es de cabeza. Esa temporada disputa 25 partidos, once de titular y 14 entrando de suplente. Marca tres goles, los dos al Moreirense y otro al Boavista en la jornada octava. A pesar de que Boloni confía ciegamente en él y destaca públicamente sus cualidades, la competencia es grande aquel año en la delantera del Sporting. Además de Jardel están Joao Pinto, Quaresma, Toñito, Nicolae -un compatriota del entrenador- y un ruso,

Kutuzov. El Sporting queda tercero a 27 puntos del Oporto, campeón, y a 16 del segundo.

No había partido en el que en la grada donde jugase el Sporting no hubiese dos o tres ojeadores de varios equipos observando las evoluciones de Cristiano. Sus apariciones con las distintas selecciones portuguesas también reclaman la atención de los grandes clubes de Europa y, además del Inter, el Arsenal estuvo especialmente interesado, hasta el punto que Wenger en persona invitó al jugador a visitar las instalaciones del club. Fue en el mes de enero y Cristiano y su madre se desplazan a Londres para conocer no solo al mánager francés, sino también a uno de sus ídolos por aquel entonces: Henry. Se mantuvieron las conversaciones en los siguientes meses, pero como no jugaba de titular todos los partidos los técnicos del Arsenal no terminaron de decidirse. Esperaron tanto que les ocurrió lo mismo que a los del Inter, el Liverpool o la Juventus. Llegó el Manchester y se lo llevó.

Resultó clave en la operación el hecho de que Carlos Queiroz fuera el segundo de Alex Ferguson y el plan de colaboración que el Sporting y el United firmaron, que se rubricó con el partido amistoso en el Nuevo Alvalade del 13 de agosto siguiente. Queiroz, alertado por los técnicos de las selecciones inferiores portuguesas y por el propio Aurelio Pereira, que le habían ensalzado sobremanera al jugador hasta el punto de presentárselo como el mayor talento del fútbol juvenil de Portugal, insistió ante Ferguson, que finalmente se convenció por sí mismo cuando le vio directamente en acción en ese encuentro.

Casualmente, esa noche Aurelio Pereira se encontró en el estadio con Simoes Almeida, el ex director financiero del club, que le había llamado loco cuando quiso fichar a Cristiano por 25.000 euros. No se habían visto desde hacía mucho tiempo. La conversación fue corta, pero intensa.

—¿Qué te parece el rapaz que fichamos hace seis años? Preguntó Pereira.

—Hizo algunas cosas. Contestó Almeida.

La realidad es que aquella noche Cristiano, además de marcar un gol, estuvo brillante. Y también, casualmente, Cristiano se marchaba para Old Trafford mientras que Queiroz, que había puesto sobre la pista del futbolista a su club, dejaba Manchester para aterrizar en el Real Madrid.

4

MANCHESTER

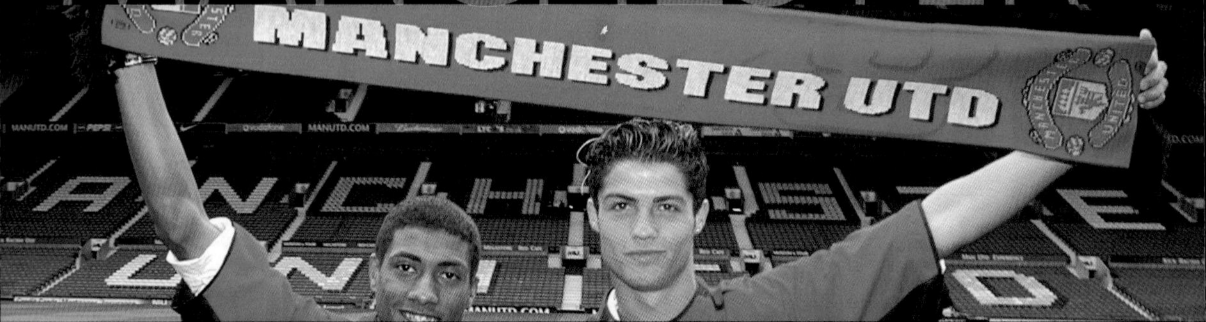

Sinto sempre a mesma pressão em todos os jogos. É a pressão que imponho a mim próprio, na ânsia de ser o melhor em cada jogo.

MANCHESTER

CON EL 7 DE BEST, ROBSON, CANTONA Y BECKHAM

«SIEMPRE SIENTO LA MISMA PRESIÓN EN TODOS LOS PARTIDOS. ES LA PRESIÓN QUE YO ME IMPONGO. COMO QUIERO E INTENTO SER EL MEJOR EN TODOS LOS PARTIDOS QUE JUEGO, LA PRESIÓN ES SIEMPRE LA MISMA».

Cuenta la
leyenda,

que el Manchester United fichó a Cristiano Ronaldo porque volvió loco a sus jugadores en un partido amistoso y que fueron ellos mismos los que presionaron al entrenador, Ferguson, para contratarle porque habían quedado maravillados de las cosas que se podrían hacer con un balón y todo a una velocidad endiablada. Verdad a medias. Cierto es que el entonces jugador del Sporting de Portugal desplegó todo su repertorio futbolístico sobre el césped del nuevo Alvalade en aquel encuentro jugado el 13 de agosto y encandiló a sus rivales que no habían oído nunca hablar de él, pero más cierto es aún que la noche anterior en Quinta do Marina la operación del traspaso queda cerrada a falta de la firma y decidir cuando se incorporaría el jugador a la disciplina del Manchester, si inmediatamente, o seguiría otra temporada jugando en el Sporting.

A priori, debía ser un partido amistoso más. El Manchester había realizado una gira por Estados Unidos y el día 10 había disputado su primer partido oficial de la temporada, la Supercopa inglesa, la Charity Shield en la que había ganado al Arsenal en la tanda de penaltis (4-3). Se celebraba

la inauguración del nuevo estadio de Alvalade que sería una de las sedes de la Eurocopa de 2004 y el elegido fue el Manchester, en virtud de un acuerdo firmado entre ambos clubes por el que Sporting, cuya Academia, una de las más productivas del mundo, como ya hemos comprobado anteriormente, se convertía de alguna forma en un club nodriza del inglés que tendría preferencia para fichar a los talentos que fueran saliendo. Por esa razón, unos años después de Cristiano también aterrizó en Old Trafford Nani, otro producto de la cantera verdiblanca.

El comportamiento, el rendimiento de Cristiano en ese encuentro obligó a precipitar los acontecimientos. Su representante, Jorge Mendes, le mantuvo informado en todo momento de la reunión con los representantes del Manchester la noche anterior y se metió en la cama sabiendo que a falta de la firma del contrato ya era un «red devil» más. En el entorno del club lisboeta se aseguraba que técnicos del Manchester habían seguido durante toda la temporada al jugador y que incluso el día de su debut contra el Moreirense en el que marcó dos goles ya estaba presente un ojeador.

La realidad es que Cristiano esa tarde impresionó a todos. El Sporting ganó (3-1) y él marcó un gol. Sus compañeros de equipo sabían que estaba en conversaciones con el Manchester y estuvieron cerca de él en todo momento.

Ferguson, técnico del Manchester, reconoció después del partido que en el descanso varios jugadores le preguntaron quién era el «siete» y le recomendaron que se lo llevaran ya con ellos para Inglaterra en el avión de regreso. Al finalizar el partido, Ferguson pide a Jorge Mendes permiso para hablar con el jugador y ahí se termina de acelerar su contratación inmediata. En ese primer encuentro, el técnico portugués cita al jugador para el día siguiente en Manchester para cerrar los últimos flecos de la contratación y firmar el contrato.

Cristiano pensó que viajaría, firmaría y volvería a Lisboa para seguir jugando una temporada más con el Sporting. Tenía 18 años y solo había jugado 25 partidos en la primera división portuguesa. Incluso pensó que ese año de transición le vendría muy bien para aprender inglés, la asignatura que menos le gustaba en sus tiempos de estudiante. Tal era su convencimiento que viajó a Manchester junto a Jorge Mendes con lo puesto y poco más. Reunión, reconocimiento médico y firma de contrato. Dieciocho millones de euros fue el precio final de la operación. La sorpresa para el futbolista fue cuando Ferguson le dijo que al día siguiente le esperaba en Carrington para entrenar. Era jueves y el sábado el Manchester tenía el primer partido de la Premier contra el Bolton.

—No tengo ni ropa, bisbiseó el jugador mirando a su representante.

—No te preocupes, te entrenas y te vas a Lisboa a por ella, le contestó Ferguson con sus mofletes rojos y bien morenos por la fecha del año en la que estaban.

Cristiano se entrenó el viernes y el sábado fue citado para el partido.

Paddy Crerand, ex-jugador del Manchester y entonces comentarista de la televisión del club, recuerda perfectamente el día de la presentación del jugador.

—Cuando le vi llegar pensé que ese muchacho no estaba hecho para el Manchester. Sabía que era un buen jugador, pero tenía pinta de muñeco. Su bella figura no me decía nada bueno. Yo para mi equipo prefería los guerreros, los duros.

Al veterano no le gustaban la camiseta casi transparente que llevaba, ni sus vaqueros, ni las gafas de sol ahumadas. Con el tiempo, evidentemente, cambió de opinión.

Las horas transcurrían a la velocidad de Cristiano. Es el momento de elegir el dorsal. Ferguson se planta delante de él y le dice que le va a dar el «7». El jugador argumenta que le gusta el 28, el número que llevaba en el Sporting, pero el técnico zanja la conversación.

—Llevará el «7» que en este club han llevado Best, Robson, Cantona, Beckham.

Le explicó las razones por las que quería que luciera ese número y Cristiano entonces comprendió que «era algo sagrado en ese club y que me estaba dando la oportunidad y el honor de formar parte de una serie de jugadores únicos. La historia me juzgaría, diría si había sido digno de estar entre ellos».

Sábado 16 de agosto. Aforo completo en Old Trafford, 67 647 espectadores según la nota oficial del club. Todos ellos ya saben que en la lista de concentrados hay un chaval portugués de 18 años. Ferguson dispone el once titular. Howard; P. Neville, Ferdinand, Silvestre, Fortune; Butt, Keane, Scholes; Soljskaer, Van Nistelrooy y Giggs. A los quince minutos del segundo tiempo, Ferguson se dirige a Cristiano y le manda calentar. Escucha los aplausos de la grada. Se da cuenta de que están pendientes de él. La misma sensación tiene cuando está a punto de entrar y cuando toca el primer balón. Salta al campo a falta de quince minutos, los suficientes para dar tres pases de gol y tirar de manual: fintas, regates, pases… y todo eso a una velocidad considerable. Le hacen hasta un penalti. El Manchester gana (4-0) y Cristiano es elegido mejor jugador del partido. Le han bastado 15 minutos y ya tiene en sus manos la

enorme botella de champagne que acredita en la Premier según la tradición al «man of de match».

Cristiano no se lo puede ni creer. Su vida había cambiado radicalmente en tres días. Ya es uno más de esa plantilla y va entrando en la dinámica del equipo. Ferguson sabe como tratarle. Son muchos los chicos con talento que han pasado por sus manos. En el segundo partido también entra sobre la marcha. El Manchester gana en Newcastle (1-2). Su primer encuentro como titular llega en la tercera jornada, en Old Trafford, ante el Wolwerhampton (1-0). Y así sucesivamente. Ferguson le mima. Un partido titular, otro suplente con minutos. Ya lo había hecho con Giggs, con Acholes, con Butt, con Beckham, con los hermanos Neville.

Curiosamente por esos días Gary Neville comenta a la Prensa inglesa que los entrenamientos del United desde la llegada de Cristiano son mucho más divertidos por sus regates, sus bicicletas, sus fintas, sus carreras.

No está ni de suplente en el primer partido de la Champions ante el Panathinaikos, pero sí lo hace el sábado siguiente en Old Trafford ante el Arsenal (0-0). Al final del encuentro interviene en una tangana entre jugadores de ambos equipos que estaban picados desde hacía tiempo y termina siendo sancionado con 4.000 libras. Su estreno en Champions llega ante el Stuttgart con derrota (1-2). Hasta diciembre el panorama no cambia mucho. Alterna titularidad y suplencia. La competencia es máxima y él está en periodo de acoplamiento y aprendizaje. Van Nistelrooy y Giggs son indiscutibles, Fletcher suele ocupar la banda derecha y al acecho están los Soljskaer, Forlán, Bellión y eso que Saha estaba lesionado y no reaparecería hasta enero.

Su primer tanto en la Premier cae ante el Portsmouth. Entra con el partido comenzado y marca. Era el 1 de noviembre. Esos primeros meses no fueron fáciles. La Prensa inglesa más sensacionalista le criticaba su forma de jugar, de vestir, de comportarse dentro y fuera del terreno de juego. Se forzaron historias sobre su vida privada, se recordó que en Lisboa se pasaba el tiempo añorando a sus padres y queriendo volver a casa, como si eso fuese un pecado y un defecto. Se publicaron groseros fotomontajes con su figura. Se le consideraba muy tierno para el Manchester. Le acusaban de provocar caídas, de exagerarlas. El código, las reglas, del fútbol británico eran una constante amenaza para él y todo porque Cristiano se revelaba ante las patadas, se quejaba. Era humano y tenía 18 años.

El 26 de diciembre ante el Everton es titular. El Manchester gana (3-2) y Cristiano tiene un incidente con Rooney que años más tarde se convertiría en compañero suyo en el Manchester y además protagonista de una de las grandes polémicas que tuvo en su experiencia en el fútbol inglés. Esa tarde Cristiano jugaba por la derecha de su ataque y Rooney por la izquierda de la del Everton. Se cruzaron varias veces y hubo entradas duras por parte del siempre impetuoso delantero inglés, tanto que cuando es sustituido todo Old Trafford le abuchea. También Jeffers e Hibbert le sacudieron de lo lindo, con marcajes estrechísimos. Cristiano ya se ha dado cuenta de que el fútbol de las islas no tiene nada que ver con el portugués, pero no cambia su forma de jugar. No

renuncia a unas cualidades innatas. A su alegría dentro del campo, a sus regates. Los árbitros eran demasiado benevolentes con sus marcadores, pero él no tenía más remedio que callar.

Desde ese partido posterior a Navidad, Cristiano no vuelve a jugar hasta el 17 de enero contra el Wolverhampton. ¿Qué sucedía? Nada, absolutamente nada. Todo lo contrario. Ferguson lo tenía todo controlado y manda al jugador a Funchal con sus padres por espacio de tres semanas. Son sus vacaciones de Navidad. Casi como un escolar. Ya lo había hecho con otros jóvenes jugadores. Es una forma de liberarle de la presión, de darle un descanso, un respiro. En esos primeros cinco meses en Manchester, de los 31 partidos del equipo, Cristiano juega 19. Once de titular, 8 de suplente y en uno no va concentrado. Su segunda parte del Campeonato mantiene los mismos equilibrios y recibe su primera expulsión en Inglaterra. Fue en el penúltimo partido de la Premier, en Villa Park ante el Aston Villa. Marca y después ve la roja.

Al final de esa primera temporada disputa 29 encuentros de la Premier, 15 de titular y 14 entrando a lo largo del encuentro, marca cuatro goles y da cuatro pases de gol. En la FA Cup disputa cinco partidos con dos tantos, en la Copa de la Liga juega un encuentro y en la Champions cinco, tres como titular y dos de suplente. La suma le lleva a 40 encuentros en total, 24 como titular y 16 como reemplazante y seis goles.

El Manchester queda esa temporada (93-94) tercero, con 75 puntos, a cuatro del segundo, el Chelsea y a quince del campeón, el Arsenal. En la Champions es eliminado en octavos de final por el Oporto. En la Copa de la Liga le elimina el West Bromwich Albion en segunda ronda y salva la temporada, en cuanto a títulos se refiere, al ganar la FA Cup. El primer título de Cristiano en su primer año. Su primera final llega el 22 de mayo en el Millenium Stadion de Cardiff. El rival es el Milwall y se cumple el pronóstico. El Manchester

con dos tantos de Van Nistelrooy y uno de Cristiano, el que abre el marcador en el minuto 44, se proclama campeón.

Pero la temporada no acaba ahí para Cristiano. Le espera la selección y la Eurocopa que se disputa además en su país. Otro reto. Otra ilusión. Ferguson le despide con un estrechón de manos y deseándole suerte. «Te vendrá muy bien jugar al lado de jugadores como Figo, Ruí Costa…».

2004-2005 **Salto** cualitativo y cuantitativo

Las lágrimas de Cristiano cuando Portugal perdió la final de la Eurocopa ante Grecia dieron la vuelta al mundo. La vida sigue y su segunda temporada en el Manchester está a la vuelta de la esquina. Ferguson se mantiene inflexible en su estrategia. La fase de aprendizaje continúa, pero pasa de disputar cuarenta partidos a cincuenta, cuarenta de ellos como titular. Es un salto cualitativo y cuantitativo. En 33 partidos de la Premier, es 25 titular y en ocho entra a lo largo del encuentro. Marca un gol más, cinco, pero el equipo vuelve a quedar lejos del título. Otra vez tercero (77 puntos) y muy lejos del campeón, el Chelsea de Mourinho, a 18 puntos y a seis del segundo, el Arsenal.

En la Champions, el Manchester no vuelve a pasar de los octavos de final. Es eliminado por el Milán que le gana los dos partidos. Cristiano ya juega siete partidos de titular y otro como suplente, pero continúa sin estrenarse como goleador. En la Copa de la Liga es también el Chelsea el verdugo del Manchester. En semifinales. Cristiano disputa esos dos encuentros, ya que hubo partido de desempate.

Otra vez la FA Cup es la tabla de salvación de la temporada, pero en esta ocasión pierde la final ante el Arsenal. Cristiano destaca en esa competición. Marca cuatro goles en siete partidos y en la final acierta en la tanda de penaltis decisiva, pero el título es para los de Wenger que tienen más puntería (5-4).

2005-2006 Despliegue goleador

Tercer curso y la evolución de Cristiano se refleja en sus registros goleadores. Consigue tantos goles en la Premier como en los dos primeros años. Nueve exactamente, uno más en los mismos partidos, 33 (24 como titular y 9 sustituyendo a un compañero). En la Champions disputa los ocho partidos de su equipo, previa incluida y se estrena como goleador (8 de agosto ante el Debrecen), pero el Manchester no supera la fase de grupos y en diciembre se despide de la competición europea.

Tampoco es el año de la Premier. Asciende un puesto, segundo, y se acerca al campeón, el Chelsea, pero todavía queda a ocho puntos. Tampoco en la FA Cup, en la que había llegado a la final en sus dos primeras temporadas, el equipo mejora sus resultados. El Liverpool le elimina en la quinta ronda. Mediada la

temporada, el 26 de febrero, llega la única alegría. En la final de la Copa de la Liga, en el Millenium Stadion de Cardiff golea al Wigan y se proclama campeón. Cristiano marca el tercero. Los dos primeros Rooney y el cuarto, Saha.

Las vacaciones pueden esperar porque a Cristiano le llega la oportunidad de disputar su primer Mundial. Portugal tiene una gran selección y las expectativas son máximas. En parte se cumplen porque la selección lusa llega a semifinales, donde pierde con Francia, y después también el partido para el tercer puesto contra el anfitrión, Alemania, pero en el partido de cuartos de final contra Inglaterra surge un incidente con su compañero de equipo Rooney que incidiría y de qué forma en su vuelta a la Premier.

2006-2007 Toda Inglaterra **en contra…** menos Manchester

Esa expulsión de Rooney en el Mundial, ese guiño de ojo de Cristiano a su banquillo cuando su compañero de equipo caminaba hacia los vestuarios fue tomada por los ingleses como una ofensa. El partido se jugaba en Gelserkinchen y el siempre impulsivo Rooney realizó una fuerte entrada sobre Ricardo Carvalho. La reacción de los jugadores portugueses fue defender a su compañero y pedir la expulsión del inglés. Una imagen repetida sobre un terreno de juego. Cristiano, en el fragor de la batalla, también se dirigió al árbitro y en Inglaterra le consideraron como el máximo inductor de la expulsión. Tampoco le perdonaban que marcara en la tanda de penaltis el gol que eliminaría a Inglaterra y que ya existiera el precedente de que en la Eurocopa 2004, el portugués también acertara desde los once metros en la tanda que igualmente eliminó a Inglaterra.

En los siguientes días los medios ingleses cargaron contra Cristiano Ronaldo sin piedad. *The Sun*, uno de los periodicos más beligerantes, llegó a públicar en portada una foto de una cara suya en una diana

y sugería a sus lectores que le tiraran dardos o le disparararan entre ojo y ojo. Demencial. Una auténtica persecución que se prolonga a lo largo de junio y julio, hasta el punto de que Cristiano piensa en abandonar el Manchester y el fútbol inglés. El propio Ferguson tiene que viajar al Algarve para convencerle de que se quede, que todo pasará. Se queda, pero no pasa. Allá donde va con el Manchester es abucheado desde que entra al campo y cada vez que toca el balón. Recibe cartas de amenaza.

Cristiano se fue acostumbrando a vivir con esa presión. Recibía la comprensión de sus compañeros y el apoyo de Ferguson. Confesó que después de aquel encuentro, Rooney se había acercado a él y le había dicho. «Cristiano, bien jugado. Has hecho un buen partido. Tenéis un super-equipo y te deseo buena suerte. Los periódicos ingleses por supuesto dieron otra versión de esa conversación, pero la mía es la buena y mi relación con Rooney continuó siendo top».

En los peores momentos tuvo el respaldo del club y de los aficionados que veían que se había aprovechado el incidente del Mundial para recuperar la tradicional guerra que el United había tenido con la capital, Londres y sus medios de comunicación. La batalla contra Cristiano no era sino la continuación de las campañas contra anteriores jugadores del Manchester. Ya la sufrió Cantoná cuando agredió al aficionado, Beckham cuando fue expulsado en el Mundial de Francia 98 por agredir a Simeone. En Old Trafford es normal ver una bandera con una simple leyenda: «Republic of Mancunia» que traducido viene a ser República de Manchester. Tradicionalmente una gran mayoría de los aficionados del United han despreciado a la selección inglesa y curiosamente esos tantos de penalti de Cristiano en los partidos contra Inglaterra y su reacción en la jugada de la expulsión de Rooney en el Mundial, contribuyeron a engrandecer su leyenda en Old Trafford.

«There is only one Ronaldo» (Solo hay un Ronaldo), cantaba la grada partido tras partido. Al principio, Cristiano no lo terminaba de entender, hasta que su compañero Ferdinand le fue entonando todas las canciones que la afición le dedicaba. «He plays on the left. He plays on the right. That boy Ronaldo makes England look shite». (Juega a la izquierda, juega a la derecha, el muchacho Ronaldo hace que Inglaterra parezca una mierda). Otra versión con la misma música mantiene el principio de la letra y en el final cambian el desprecio a su selección que sobre todo se cantó aquella temporada con una comparación con Beckham, diciendo que Cristiano es realmente mejor.

Su compañero, Bryan Giggs, uno de los veteranos del equipo ya por aquel entonces, valoró positivamente cómo Cristiano había superado la situación. «Demostró su carácter, no se rindió nunca». Así fue. Su concentración en todos los partidos de fuera de casa era tremenda. Los silbidos terminaron por ayudarle. Sabía que no podía protestar, que debía callar y jugar hasta que tarde o temprano la campaña de desprestigio acabara. La situación llegó a ser tan crítica que a Cristiano se le pasó por la cabeza cambiar de aires si aquello no sufría una metamorfosis total. En los primeros meses de 2007 se habló mucho de su traspaso. Ya surgió el nombre del Real Madrid, también del Inter. Él prefiere mantenerse al margen y en el club le recomiendan que no hable del asunto. El Manchester reacciona rápido y como es consciente de que la amenaza de esos clubes existe, el 13 de abril oficializa que ha prolongado y mejorado, sustancialmente, el contrato del jugador por cinco temporadas.

Nueve días después, el día 22, Cristiano recibe dos premios individuales. Es elegido por la Asociación Profesional de Jugadores (PFA), es decir por todos sus compañeros y rivales, el mejor jugador del año y también el mejor joven del año. Era la primera vez en la historia de la Premier League que los dos galardones recaían en el mismo futbolista. Solo treinta años antes se había dado un caso como este con Andy Gray (Aston Villa).

Cristiano se vistió para la ocasión. Smoking negro, pajarita. En un viaje relámpago de ida y vuelta de Manchester a Londres le acompañaron sus íntimos con Jorge Mendes al frente, el entrenador Alex Ferguson y Bobby Charlton, el Di Stéfano del Manchester United, una leyenda viva del club. Dos días después llegaba la ida de la semifinal de la

Champions contra el Milán y la fiesta de celebración tendría que esperar.

Después de todo lo que había pasado en los meses anteriores tener entre sus manos esos dos trofeos eran el mejor reconocimiento. Sobre todo valoraba que había sido elegido por los profesionales. Fueron días muy intensos aquellos. El partido de ese miércoles contra el Milán en Old Trafford se saldó con victoria (3-2). Cristiano marcó, pero quedaba la vuelta en San Siro y allí el Milán de Ancelotti arrolló (3-0). Tampoco ese año llegaba el sueño de disputar la final de la Champions, pero sí iba a llegar otro tan anhelado como perseguido, la Premier.

A la cuarta fue la vencida. Es la grandeza del fútbol. No hay tiempo para celebrar las victorias ni llorar las derrotas. Si el 2 de mayo el Manchester salía

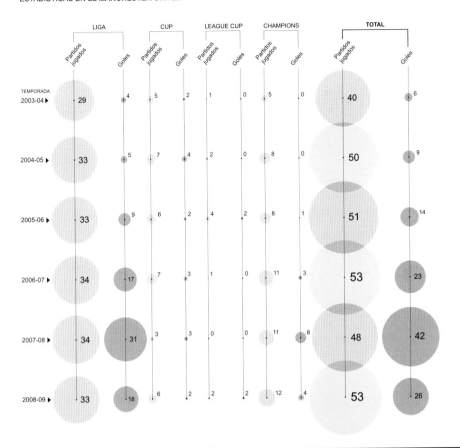

TEMPORADA	LIGA		CUP		LEAGUE CUP		CHAMPIONS		TOTAL	
	Partidos jugados	Goles	Partidos jugados	Goles	Partidos jugados	Goles	Partidos jugados	Goles	Partidos jugados	Goles
2003-04 ▶	29	4	5	2	1	0	5	0	40	6
2004-05 ▶	33	5	7	4	2	0	8	0	50	9
2005-06 ▶	33	9	6	2	4	2	8	1	51	14
2006-07 ▶	34	17	7	3	1	0	11	3	53	23
2007-08 ▶	34	31	3	3	0	0	11	8	48	42
2008-09 ▶	33	18	6	2	2	2	12	4	53	26

humillado de San Siro, tres días después derrotaba por un solitario gol del propio Cristiano al Manchester City en el Eastlands Stadium y se quedaba a un paso de la Premier. Al día siguiente, el Chelsea se enfrentaba al Arsenal. Si empataba o perdía, el Manchester era campeón matemáticamente. Y empató. Cristiano ganó su primer título de Liga sentado ante el televisor en su casa junto a su primo Nuno y su cuñado Zé. Sufrió mucho. El Chelsea se quedó con diez y el Arsenal se adelantó en el marcador. Empataron los de Stamford Bridge y en los últimos minutos Cristiano se comía las uñas y se removía en el sofá como una serpiente. Final. Salto descomunal y descorche del champagne. A los pocos minutos ya estaba festejando con el resto de sus compañeros. Todo estaba preparado para ello.

Al Manchester le sobraron dos jornadas. Fue campeón con 89 puntos, seis más que el Chelsea y 21 más que el Liverpool de Benítez, tercero. Todavía quedaba una puerta abierta para un segundo título. El 19 de mayo en el nuevo y flamante Wembley disputó la final de la FA Cup contra el Chelsea. La revancha de la Premier. Cristiano fue titular, pero el triunfo (0-1) fue para los de Mourinho con un gol de Drogba.

Individualmente completa su mejor temporada desde que está en Inglaterra. Un total de 53 partidos, 49 de ellos de titular y 23 goles. En la Premier, 31 encuentros desde el principio y tres como sustituto con 17 goles, solo uno menos que los sumados en sus tres temporadas anteriores (4+5+9). En la Champions disputa 11 con 3 tantos, en la FA Cup, 7 con 3 goles y en la Copa de la Liga, solo 1.

2007-2008 La primera Champions

Su gran temporada. El curso de su explosión definitiva. Cristiano se convierte en un coleccionista de títulos tanto a nivel de equipo como individual. Llega la hora de recoger el fruto de tantos años acumulados. El primer paso lo da en el primer partido de la temporada. La Charity que enfrenta al campeón de la Premier (Manchester United) con el campeón de la FA Cup (Chelsea) se salda con la primera victoria y el primer título. Cristiano se convierte en el jugador franquicia del equipo. Consigue su primer hat-trick con la camiseta del Manchester el 12 de enero de 2008. Marca al Newcastle tres de los seis tantos del equipo.

El día 30 de ese mismo mes firma uno de sus mejores, si no el mejor, de su carrera. Así al menos lo calificó su entrenador Ferguson. Su víctima, «Calamity» James, el portero del Portsmouth. Fue una falta directa, centrada, ligeramente escorada a la derecha, desde unos 25 metros. Cristiano comenzó con su ritual.

Cuatro pasos para atrás, respiración profunda. A su lado Rooney, que se retira. En la barrera seis jugadores contrarios más sus compañeros Park y Carrick. Cristiano golpea con una virulencia absoluta y el balón pasa por encima de la barrera y cae como un obús en el ángulo derecho, según el lanzamiento, de la puerta de James, que ni se mueve.

El 19 de marzo, Ferguson le entrega el brazalete de capitán. Un mérito adquirido pues es el jugador más veterano de los que salta al campo. Para celebrarlo marca los dos tantos que sirven para derrotar al Bolton. En ese momento de temporada, suma 33. 24 en la Premier, seis en la Champions y tres en la FA Cup. Y justo ese día supera la marca de goles marcados por un extremo, uno de los récords más longevos de la historia del club que databa de la temporada 67-68 y estaba en poder de George Best.

El 1 de abril, el Manchester juega en el Olímpico de Roma el partido de cuartos de final de la Champions y Cristiano marca otro gol maravilloso considerado el mejor tanto de esa edición. Fue una acción de Scholes por la banda derecha, su centro va al punto de penalti y allí apareció el portugués que venía de una carrera lanzada de veinte metros para superar en el salto a Casetti y picar el balón abajo. Ferguson lo definió como un gol de delantero centro puro.

El United gracias a los goles de Cristiano va lanzado hacía un nuevo título de Premier y hacia la final de la Champions. La competición continental continúa siendo la gran asignatura pendiente. Salda la liguilla con cinco victorias consecutivas y un postrero empate con la Roma (1-1) estando ya clasificado. En esa primera fase, Cristiano se enfrenta a su ex-equipo. Dos noches especiales para él. En Old Trafford marca un golazo de falta directa, el de la victoria. Poco más de un mes después, visita Alvalade y vuelve a marcar, esta vez de cabeza. Pidió perdón a una afición que ya le consideraba un

ídolo aunque en ese momento vistiese y defendiese otros colores.

Mayo. El día 11, el Manchester revalida el título de Liga. En la última jornada derrota al Wigan a domicilio. Giggs y Cristiano marcan los tantos. Es su trigésimo primer gol en el Campeonato en otros tantos partidos como titular, con una media de uno por partido, aunque en otros tres encuentros salió como sustituto. Se proclama máximo goleador por delante de Adebayor y Fernando Torres que se quedan en 24. El Manchester (87 puntos) aventaja en dos al Chelsea y en cuatro al Arsenal.

Diez días después la cita es en Moscú. Final de la Champions. Final inglesa. Primero contra segundo. Ferguson contra Grant, que había sustituido a Mourinho. Los noventa minutos acaban con empate a uno. El tanto del United, como no, es obra de Cristiano, de cabeza. Es su octavo gol en los once partidos que disputa de la competición y que le permiten

convertirse también en máximo goleador europeo. El Chelsea logró empatar y como en la prórroga no hubo goles bajo el diluvio que caía sobre la capital rusa, la Copa de las orejas grandes se tuvo que decidir en los penaltis. Cristiano falló su lanzamiento pero su equipo terminó venciendo (6-5) con Van der Sar como héroe bajo los palos.

Con la Premier y la Champions y los títulos de máximo goleador en ambas competiciones se perfila como el principal favorito para todos los premios individuales que se suceden al final del año natural.

El peso de sus 42 goles en todas las competiciones en esa temporada es definitivo. A pesar de todo, el jugador encara esos dos últimos meses lesionado. Mantiene el tipo a base de antiinflamatorios y con unos tratamientos específicos. Se pasó varias semanas encerrado recuperando. De Carrington a casa. Cristiano reconoció haber pasado una «tortura física y fisiológica».

Sus 31 tantos en el Campeonato inglés le acreditan como el mejor jugador de Europa y por lo tanto merecedor de la Bota de Oro. Se convirtió así en el primer extremo en conquistar el trofeo que siempre había recaído en delanteros centros puros, como el brasileño Ronaldo, el mexicano Hugo Sánchez, el holandés Van Basten. Cristiano se convertía en el tercer futbolista portugués en conseguir la bota dorada después de que Eusebio (Benfica) lo lograra en la temporada 1967-68 y 72-73 y Fernando Gomes (Oporto), en la 82-83 y 84-85.

En la clasificación de la temporada sus 31 goles valen 62 puntos, ocho más que los 54 que valen los 27 tantos de Guiza en el Fenerbhace y los 33 tantos de Huntelaar en el Ajax, que obtienen una puntuación de 49,5. Las reglas de este trofeo dan un mayor valor a los goles conseguidos en las grandes Ligas, entre las que se consideran la inglesa, la española, la alemana y la italiana. Torres (Liverpool), Adebayor (Arsenal), Luis Fabiano (Sevilla) y Toni (Bayern Munich) con 24 tantos obtuvieron 48 puntos.

Además de los tres goles conseguidos en el partido contra el Newcastle, Cristiano marcó dos tantos en ocho encuentros (Wigan, Blackburn, Fulham, Everton, Portsmouth, Newcastle, Bolton y West Ham). Su mejor tacada marcando consecutivamente se amplió a seis y solo estuvo en 13 jornadas de los 34 partidos que disputó sin marcar.

Cristiano eligió recibir la Bota de Oro en su Madeira natal como homenaje a su padre fallecido unos años antes. Fue el 14 de septiembre aprovechando que todavía estaba recuperándose de la operación de tobillo a la que había sido sometido unas semanas antes, después de la Eurocopa.

La lesión en el cartílago de su tobillo derecho le impide hacer una buena Eurocopa tres semanas después. Apenas se entrenaba. El dolor era constante. Portugal es eliminado en cuartos de final por Alemania (3-2). Esa misma noche, al terminar el encuentro, Cristiano da un paso al frente y confiesa

públicamente en la zona mixta que cree que su ciclo en el Manchester después de cinco temporadas ha acabado y que le gustaría fichar por otro equipo. No dice el nombre del Real Madrid, pero toda Europa sabía que ese era su deseo, el del jugador, y también el del club. Fueron semanas de rumores constantes. El Manchester se mantuvo firme y no cedió a la presión y tampoco aceptó los deseos del jugador. Ferguson consideraba imprescindible a Cristiano y más en un momento en el que se le iban haciendo mayores jugadores importantes como Scholes, Giggs…

Cristiano se marcha unos días de vacaciones, pero su lesión no mejora y finalmente tiene que ser operado y no comienza la temporada con su equipo. Se pierde los cinco primeros partidos, final de la Supercopa de Europa incluida, y no reaparece hasta el 17 de septiembre contra el Villarreal, en Champions, que juega unos minutos. Igual ante el Chelsea, otro ratito para recuperar la confianza y finalmente Ferguson ya considera que está totalmente recuperado y es titular contra el Middlsbrough y marca un gol. El 15 de noviembre ante el Stoke City alcanza su gol centenario con el Manchester. Lo marca de golpe franco. Ese día también hace el 101.

Ni su floja presencia en la Eurocopa, ni esos partidos que no juega por la lesión, repercuten en su carrera hacía los trofeos individuales que se van a suceder

a final de año. Estos reconocimientos son anuales y su 2008 había sido perfecto. Lanzó la máquina en enero con nueve goles y hasta el 2 de diciembre que recibe el Balón de Oro marca 37, aunque el primer reconocimiento en forma de premio le llega el 27 de octubre en el que la Federación Internacional de Futbolistas Profesionales (FIFPRO) le elige mejor jugador del año. Nada menos que 57.500 profesionales votaron y decidieron que había sido el número uno. Cristiano lo agradeció públicamente.

«Ser reconocido por más de 50.000 compañeros de la profesión en todo el mundo es algo asombroso. Quiero expresar mi agradecimiento a mis compañeros de equipo y entrenadores, a todos los empleados del Manchester United y de la selección nacional, así

como a mis familiares y amigos por su apoyo. Muchas gracias también a la FIFPRO por este premio y por vuestro trabajo en defender los intereses y el bienestar de los jugadores en todo el mundo».

Ese mes de diciembre quedará marcado en su vida. El día 2 viaja a París para recibir, por fin, el Balón de Oro, que otorga la revista France Football y que es aceptado internacionalmente como el reconocimiento al mejor futbolista que juega en Europa. El año anterior ya había sido Balón de plata por detrás de Kaká, pero ahora no había discusión. De hecho ya llevaba cinco años entre los elegidos. En 2004 fue décimo segundo en la clasificación; en el 2005, vigésimo y en el 2006, décimo cuarto. Consigue 446 puntos por los 281 de Messi y los 179 de Fernando Torres. A sus 23 años, se convierte en el sexto futbolista más joven en ganar el trofeo por detrás de Ronaldo que lo ganó con 21 en 1997, Best (1968) y Owen (2001) que lo ganaron con 22; y a la misma edad que Eusebio (1965) y Blokhine (1975). Es el tercer portugués en recibir el galardón después de Eusebio y Figo.

«Es uno de los mejores días de mi vida. Es un sueño ganar este trofeo. Tengo una gran emoción que no son fáciles de describir con palabras. Doy las gracias a los que me votaron. Todos los que me conocen y están cerca de mí saben que ganar el Balón de Oro es un sueño hecho realidad. Tengo 23 años y es algo magnífico, increíble. Es aún más fantástico por los hombres que había en la lista, Messi, Torres, Casillas, Xavi. Nunca tuve miedo de no ganarlo. Sé perfectamente lo que he hecho a lo largo de la temporada. Tengo que dar las gracias a mis compañeros que me han permitido ser el mejor, son ellos los que me han pasado los balones para que marque 42 tantos».

Sus palabras sinceras, rodeado una vez más de los suyos, con su madre María Dolores muy cerca, reflejan la emoción del momento.

«Es un momento de plenitud por todo lo que he trabajado, por los esfuerzos que he hecho y al final han tenido su premio. No voy a cambiar, voy a seguir esforzándome, pero dentro, por mi interior, sé que esto es extraordinario».

Alex Ferguson estuvo respaldándole en esos momentos y también valoró el éxito de su pupilo.

«Ronaldo es bravo, muy bravo. Ha mejorado, ha madurado tan deprisa que ni yo me lo podía imaginar hace tres años. Lo que más me gusta de él es su bravura, su coraje. El coraje en el fútbol es como en la vida. Se reconoce de varias maneras. El coraje por seguir el balón independientemente de que puedas ser cazado por un contrario. Eso es algo connatural a él. No tiene miedo. Pocos jugadores he visto tan valientes. El que cree que tener coraje en el fútbol es robar el balón al contrario está equivocado. No es así. Tener coraje es tener el balón, quererlo y jugarlo. Es un coraje moral y solo los grandes futbolistas lo poseen. Cristiano Ronaldo lo tiene. Best lo tenía. Y Bobby Charlton. Y Cantoná. Son los que siguen con el balón, les dan y siguen y siguen porque no se dejan intimidar».

Los corresponsales de la revista francesa repartidos por todo el mundo habían sabido valorar su progresión. 77 de los 96 que votaron le eligieron en primer lugar y supera en dos puntos los obtenidos por Kaká el año anterior, 446 por 444. El día 10 mostró el Balón de Oro a su afición de Old Trafford antes de un partido de Champions que él, curiosamente, no juega. Estaba en puertas de otro gran acontecimiento. Ganar la Champions abre las puertas del Mundialito de clubes y allá, a Tokio, una semana después, que se marcha el Manchester para sumar otro título a su palmarés. Como son cabeza de serie, los de Ferguson juegan directamente las semifinales ante el Gamba Osaka. Goleada (5-3). Dos tantos de Rooney, Fletcher, Cristiano Ronaldo y Vidic. En la final, victoria mínima con gol de Rooney ante el Liga de Quito.

El calendario no da tregua. El 21 había sido la final de Japón y el 26 y el 29 esperan dos partidos más de la Premier que nunca para por Navidades. Todo lo contrario, comprime los partidos para jugar más en las vacaciones navideñas. El Manchester gana esos dos partidos por la mínima y recupera el camino perdido con el Liverpool y el Chelsea.

...al Fifa
World Player

Con el año nuevo llega la hora de recoger otro premio del año viejo. El que reconoce al mejor del mundo y que es otorgado por la FIFA tras la votación de todos los seleccionadores y capitanes de las 155 selecciones afiliadas al máximo organismo del fútbol mundial. El FIFA World Player fue entregado en Zúrich, en la Opera House, en el transcurso de una gala que tuvo a Silvie, la señora del hoy compañero de Cristiano en el Real Madrid, Van der Vaart, como presentadora.

El acto comenzó con la presentación de los cinco candidatos, los cinco jugadores que más votos habían recibido en la votación. Cada capitán y seleccionador

tenían la opción de elegir tres. Se sucedieron las imágenes de Kaká, ganador del 2007, Messi, Cristiano, Fernando Torres y Xavi. Fue el momento en el que Pelé entró en el escenario, no sin antes tropezarse a la entrada para volver a ejercer de maestro de ceremonias, como el año anterior en el que Cristiano había sido tercero. Comentó el brasileño, después de destrozar prácticamente el sobre donde estaba guardado el gran tesoro y una vez que leyó el nombre del ganador, que justo hacía un año cuando entregó el trofeo a su compatriota Kaká, saludó al portugués y le dijo que el año próximo lo ganaría él y se lo entregaría

orgulloso. Tras esa confesión, leyó el nombre: Cristiano Ronaldo. Las cámaras se fueron a buscarle. Una sonrisa como primera reacción y rápidamente saltó al escenario. Recibe el trofeo y abraza de nuevo al brasileño. Está emocionado. Se dirige al atrium, retira el sobre que había roto Pelé y sube los micrófonos. Se cruza de brazos y mira a los presentadores en espera de alguna pregunta. Le dicen que tiene que hablar. Sonríe. Se expresa en portugués.

«Es una noche muy especial en mi vida. Un momento único. Me acuerdo ahora de mi padre, de mi madre, de mis hermanos, de mi familia, de mis amigos, no tengo que decir sus nombres, Jorge Mendes… mis amigos. Ellos saben quienes son. También se lo dedico a mis compañeros de equipo. Estoy muy feliz. Es uno de los días más felices de mi vida. Y espero volver. Obrigado, muito obrigado».

La votación no había tenido discusión. Cristiano había obtenido 935 votos, por los 678 de Messi, los 203 de Fernando Torres, los 183 de Kaká y los 155 de Xavi. Vicente del Bosque, el seleccionador español, votó como primer candidato por el portugués, mientras que el capitán Casillas había apostado por Eto'o, Torres y Messi.

2008-2009 La última en Inglaterra

La temporada 2008-09 va a resultar la última en Old Trafford. Mientras se suceden los reconocimientos individuales y va recibiendo los trofeos siempre con una sonrisa y palabras de agradecimiento para los suyos, la competición no para. Nos habíamos quedado en el mes de diciembre a la vuelta del Mundialito. Mientras mantiene el pulso en la Liga con el mejor Liverpool de los últimos años y un Chelsea muy regular, el 1 de marzo suma el segundo título de la temporada. En Wembley gana la Copa de la Liga al Tottenham. Empate sin goles al término de los noventa minutos y un rotundo 4-1 en la tanda de penaltis.

Tres frentes más quedan abiertos. En la Champions, elimina al Inter en octavos, al Oporto en cuartos y se prepara para una semifinal fratricida con el Arsenal. La aventura de la FA Cup se desvanece en las semifinales ante el Everton, en la que pierde en los penaltis y en la Premier defiende el liderato

con autoridad. Dos títulos están aún al alcance de Cristiano. El Manchester supera al Arsenal en las semifinales, ganando los dos partidos con dos tantos de Cristiano en la vuelta en los Emirates y se cita con el Barcelona en la final de Roma. A la capital romana ya va con los derechos de la Premier hechos. Revalida el título con cuatro puntos de ventaja sobre el Liverpool.

La final del Olímpico romano va a suponer para Cristiano una gran decepción. Quiere su segunda Champions. El equipo está en un buen momento y posiblemente él ya sepa que ese puede ser su último partido con esa camiseta. Cristiano lo intenta todo y a Cristiano no le sale nada. Demuestra su frustración sobre el mismo terreno de juego y es consciente de que se le escapan gran parte de las posibilidades de volver a ser ese año Balón de Oro, porque Messi, su rival más directo, incluso marca el segundo tanto del Barcelona. Estos títulos colectivos siempre tienen

una repercusión directa en los premios individuales. Aún así su temporada es más que completa. Suma 53 partidos en todas las competiciones y marca 26 goles, 18 de ellos en los 33 partidos de Premier que disputa, a pesar de haberse perdido los cuatro primeros por lesión. En la Champions, 12 partidos, cuatro tantos.

Efectivamente ese de Roma fue su último partido con el Manchester. Florentino Pérez llega a la presidencia del Real Madrid y uno de sus dos grandes objetivos, -el otro es Kaká-, no es otro que Cristiano Ronaldo. Finalmente el 11 de junio, dos semanas después de la final, el Manchester United confirma que acepta la oferta del Real Madrid para el traspaso del jugador. Atrás quedan seis temporadas en Old Trafford con 292 partidos y 118 goles, una Champions, tres Premier, 1 FA Cup, 2 Copas de la Liga, 1 Supercopa inglesa y un Mundialito de clubes.

5

PASIÓN

O meu pai morreu um dia antes de um jogo decisivo contra a Russia, mas preferi es em campo a lutar com os meus companheiros por mim, pelo meu país e porque sei que o meu pai teria ficado orgulhoso com esta decisão.

PASIÓN

POR UNA SELECCIÓN

«MI PADRE MURIÓ EL DÍA ANTES DE JUGAR CONTRA RUSIA, PERO PREFERÍ ESTAR ESE DÍA SOBRE EL TERRENO DE JUEGO. POR MÍ, POR MI PAÍS Y PORQUE A MI PAPÁ LE HUBIERA GUSTADO QUE TOMARA ESA DECISIÓN».

Con mayúsculas

Palabras mayores para Cristiano. Lo suyo con la casaca roja de Portugal es una pasión, un vicio perdonable. Demasiadas cosas importantes le han sucedido con esa camiseta como para no tenerla siempre presente. De las lágrimas por perder la final de la Eurocopa 2004, con tan solo 19 años, a las lágrimas por la muerte de su padre, José Dinis, el 5 de septiembre de 2005, pocas horas antes de jugar un partido contra Rusia en Moscú. Nunca olvidará el momento en que el seleccionador Scolari le llama a su habitación. Allí está también el capitán, Figo. Le comunican el fallecimiento y le ofrecen la posibilidad de regresar inmediatamente a su país. Pero Cristiano dice que se queda.

—Prefería estar ese día sobre el terreno de juego. Por mí, por mi país y porque a mi papá le hubiera gustado que tomara esa decisión. Posiblemente fue el día más triste de mi vida, pero creo que hice lo que tenía que hacer.

Su precocidad futbolística se ve reflejada mejor que en ninguna otra referencia en su participación en las distintas categorías de la selección hasta llegar a la absoluta. Casi siempre jugó con un equipo uno o dos años mayor del que le correspondía. Con la sub 15 debutó sin cumplir los 14 y con la sub 17, en un Campeonato de Europa en el que sentó cátedra teniendo 16. Al año siguiente, en junio de 2003, acude al prestigioso torneo de Toulon, el Mundial oficioso de la categoría, con la selección sub 19. Portugal hace un gran Campeonato y gana la final a Italia (3-1). Nada menos que cinco jugadores del Sporting forman parte del grupo. Además de Cristiano Ronaldo (1 gol), Custodio Castro, Joao Paiva, Luis Lourenço y Miguel García.

Dos meses más tarde le llega el turno a la absoluta. Su debut se produce el 20 de agosto de 2003 contra Kazajistán. Una semana antes ha jugado aquel partido amistoso, Sporting-Manchester, que aceleró su llegada a Old Trafford y el sábado anterior se ha estrenado con la camiseta roja del United frente al Bolton. Una semana para mantener siempre viva en el recuerdo. No se pueden hacer más cosas en siete días: firmar por el Manchester, jugar el primer partido en Old Trafford y estrenarse con el equipo nacional en Chaves. Entra en acción sustituyendo a Figo. Un cambio con un gran contenido emocional porque Figo siempre fue el ídolo de su madre y por lo tanto uno de sus espejos de juventud. Además, Luis, junto a Rui Costa, es de los jugadores que más pendientes han estado de él y más consejos le han dado. Ambos representaban su referencia profesional. Cristiano es elegido mejor jugador del partido y nada más acabar reconoce que ha vivido sensaciones que nunca había experimentado anteriormente al escuchar el himno y sentirse pegada a la piel la camiseta de la selección.

De aquellos tiempos se recuerda una anécdota que define perfectamente al protagonista. En uno de los entrenamientos el equipo está realizando carrera continua. Cristiano se pone al frente del grupo y comienza a tirar e imprimir un fuerte ritmo. Los más veteranos, Figo, Rui Costa, sus protectores, le dicen que frene, que baje el diapasón. Cristiano les obedece, pero cuál no fue la sorpresa cuando al concluir el entrenamiento, en el vestuario, se quita de sus tobillos sendas pesas que llevaba para entrenarse con más carga y después, en los partidos, sin ellas, sentirse más ligero.

Su primer partido como titular llega en octubre, en Lisboa. Un amistoso contra Albania (5-3). Es sustituido en el descanso por Simao. Ya es un fijo para Scolari en el grupo, a pesar de la competencia, y forma parte de los elegidos para disputar la Eurocopa 2004, en la que Portugal es anfitrión. Con 19 años es el sexto jugador más joven del torneo. No comienza como titular, pero la afición empieza a reclamar su presencia después de la derrota en el encuentro inaugural ante Grecia (1-2). En ese partido, en Dragao, entra en la segunda parte, hace un penalti en su área y marca el tanto del honor local, que es además su primer gol con el equipo nacional. Su número es el 17 y en las gradas, después del 7 de Figo, es la camiseta con más presencia.

La titularidad le llega en el tercer choque, precisamente contra España, que supone la eliminación de los hombres de Sáez mientras Portugal sigue adelante en la competición. En la semifinal frente a Holanda vuelve a marcar y disputa la final completa contra Grecia, una derrota que va a significar la desilusión más grande de su corta carrera deportiva. Las imágenes de sus lágrimas y su llanto desconsolado dan la vuelta al continente.

Sin casi descanso también acude a los Juegos Olímpicos de Atenas. Portugal no pasa de la primera fase. Tres partidos, ante Irak, Costa Rica y Marruecos, con solo una victoria. Cristiano marca contra Marruecos.

Su primer doblete goleador lo consigue en octubre, en la exhibición ante Rusia (7-1) en un partido de la fase de clasificación para el Mundial Alemania 2006. En dicha liguilla marca en los seis partidos que disputa. Está en vísperas de su primer Campeonato del Mundo y Portugal presenta una gran selección. Entra en el grupo de los favoritos.

En el partido de cuartos, contra Inglaterra, Cristiano se ve envuelto en un incidente que más adelante marcará su carrera en el Manchester United. Su compañero de equipo Rooney hace una fea entrada a Ricardo Carvalho y, como otros compañeros, pide su expulsión, que se consuma. Después marca el penalti decisivo que elimina a los ingleses y abre las puertas de las semifinales a Portugal. Ese tanto se lo dedica a su padre, recientemente fallecido.

Mucho tiempo tuvo que pasar para que los aficionados ingleses se olvidaran de ese incidente y solo la gran fuerza de voluntad de Cristiano y el apoyo de su círculo más íntimo y de su club le hizo superar un momento muy complicado, hasta el punto de que estuvo a punto de abandonar Manchester.

El recorrido de Portugal en Alemania acaba en semifinales, ante Holanda, y le lleva al partido para el tercer y cuarto puesto, que también pierde contra los anfitriones germanos. Cristiano solo marca un gol, a Irak, pero realiza un buen Campeonato y disfruta de su primera experiencia mundialista, de la que guarda el mejor recuerdo. Además considera que, de la mano de Scolari, aprendió mucho, tanto futbolística

como humanamente. El hombre que hizo campeón del mundo a Brasil en el Mundial de Corea y Japón 2002 está entre sus técnicos preferidos.

Una nueva experiencia le aguarda con la selección. Poco después del Mundial, antes de un partido de la fase de clasificación para la Eurocopa 2008 contra Kazajistán, el seleccionador comenta públicamente que está sopesando convertir a Cristiano en el capitán del equipo. Dicho y hecho. El 6 de febrero de 2007, en un duelo amistoso en el Emirates de Londres y nada menos que ante Brasil, recibe el honor de llevar el brazalete. No puede tener un mejor regalo de cumpleaños. El día anterior ha cumplido los 22 y por primera vez en mucho tiempo pasa de entrar el último de su equipo al campo, como era su costumbre en el Manchester y en el equipo nacional,

a hacerlo el primero con un distintivo especialmente grande, blanco, que resalta sobre el rojo de la camiseta, en su brazo izquierdo.

Es todo un honor para él liderar a la selección. Se convierte en el capitán más joven de los últimos ochenta años. Además, a pesar de ser un simple amistoso, Portugal gana a Brasil y él se siente cómodo con esa nueva responsabilidad. No supone ninguna presión añadida. Como bien le gusta repetir, para él todos los partidos son iguales y la presión es la misma, la que él se auto impone en cada momento. El partido cincuenta lo cumple ante el mismo rival contra el que debutó cuatro años antes, Kazajistán, en octubre de 2007.

El siguiente compromiso importante para la selección es la Eurocopa 2008. Portugal vuelve a

estar en el pelotón de los favoritos, pero Cristiano no llega en su mejor momento físico, aunque sí reforzado moralmente por el doblete con el Manchester (Premier y Champions). Ha jugado más que tocado los dos últimos meses de la temporada y aunque intenta recuperarse con una preparación especial en ningún momento el cartílago de su tobillo derecho termina de curarse totalmente. Cristiano soporta el dolor a base de antiinflamatorios, pero a los veinte minutos de cada partido el tobillo se le vuelve a hinchar y el dolor se hace insoportable.

Antonio Gaspar, fisioterapeuta de la selección y hombre de confianza del jugador, llega a reconocer cuando termina la competición para Portugal que la participación de Cristiano ha sido heroica. Disputa tres partidos: Turquía (2-0), República Checa (3-1)

-en el que marca un gol y es el mejor jugador del partido- y el de cuartos contra Alemania (2-3), que significa la eliminación de la selección de Scolari.

Al final de ese encuentro Cristiano anuncia que considera acabado un ciclo y que quiere dejar el Manchester United. En ningún momento pronuncia el nombre del Real Madrid, pero durante toda la Eurocopa se había especulado con la posibilidad de un traspaso inminente. El Manchester se cierra en banda y Ferguson aconseja al jugador que si debe ser operado para recuperarse totalmente de su lesión, se opere. Luego de un par de semanas de vacaciones y convencido de que sus deseos de dejar Manchester después de cinco años no se van a hacer realidad en ese momento, decide pasar por el quirófano y se mentaliza de que va a seguir en Old Trafford.

Recuperado de la lesión, lo mismo que vuelve a su titularidad en Manchester recupera su lugar en la selección para la fase de clasificación del Mundial de Sudáfrica. El camino se le empina de mala manera a Portugal, que tiene que sumar diez puntos, tres victorias y un empate en Copenhague frente a Dinamarca, para conseguir ser segunda de grupo y, como mal menor, acudir a la repesca.

Cristiano recae de una lesión en el penúltimo partido contra Hungría en el estadio de La Luz. Había sido lesionado por Diawara, central del Olympique de Marsella, en un partido de Champions contra el Real Madrid. No jugó con su equipo el siguiente partido de Liga contra el Sevilla, pero la trascendencia de los dos partidos contra Hungría y Malta que Portugal tenía que ganar por obligación, motivaron al jugador para forzar al máximo su recuperación.

Apenas aguantó quince minutos sobre el campo. Lo suficiente para dar el pase del primer gol a Simao. Se retiró lesionado, visiblemente afectado y no pudo jugar contra Malta. Su percance era más grave de lo previsto y también se perdió los dos partidos de la repesca contra Bosnia. Cristiano hizo todo lo posible para acelerar su proceso de rehabilitación, pero era imposible llegar y se tuvo que contentar con ver a sus compañeros en directo en el primer partido en el estadio La Luz y el segundo en Cenica por televisión. Su selección se impuso en ambos encuentros por el mismo marcador (1-0) y Portugal y Cristiano estarán en el Mundial.

Será su segundo Campeonato del Mundo con 25 años. Si a Alemania 2006 llegó como uno de los grandes jugadores, a Sudáfrica llega ya absolutamente consagrado. Con 22 goles en 62 partidos, Cristiano se ha marcado dos objetivos: llegar a los 47 tantos de Pauleta, máximo goleador de la historia de la selección portuguesa, y a los 127 partidos de Figo.

6

GOLEADOR

dribbar é um gesto natural para mim. nasci
driblador. os dribles saem dos meus pés
por puro ~~extinto~~ instinto. É um estilo próprio
é a minha vida. Adoro driblar. Oleixar os adve
para trás, sem pensar em nada mais.

EL GOLEADOR
EN SERIE

LOS SECRETOS
DE SU JUEGO

«REGATEAR ES UN GESTO
NATURAL PARA MÍ. YO HE NACIDO
REGATEADOR. LOS REGATES ME
SALEN DE LOS PIES POR PURO
INSTINTO. ES MI ESTILO. ES MI
VIDA. ME GUSTAR DRIBLAR, DEJAR
CONTRARIOS ATRÁS, PERO NO
PIENSO EN NADA MÁS».

a su lado en el Manchester United y ser su seleccionador permiten a Carlos Queiroz conocer mejor que nadie a Cristiano Ronaldo, tanto personal como futbolísticamente. Sin ningún género de dudas es el técnico que ha trabajado más intensamente con él, que más horas le ha dedicado. Tiene vital importancia que ambos sean portugueses. Alex Ferguson no podía tener mejor compañero de viaje, mejor aliado para pulir ese diamante en bruto que se había llevado del Sporting con 17 años que un técnico como Queiroz, que hablaba la misma lengua que Cristiano -él no sabía nada de inglés cuando llegó a Manchester- y además siempre se había caracterizado por su pasión para trabajar con los jugadores jóvenes.

Cristiano comenzó siendo un extremo derecho que tenía facilidad para jugar por la izquierda y que por su versatilidad podía acoplarse a ser primer delantero o incluso segundo, como media punta, con una referencia por delante. Ahora es un delantero total que puede jugar en cualquier posición del frente del ataque. Queiroz, en el presente, matiza conceptos.

—Nació como extremo y va a terminar como delantero. Su posicionamiento puede depender mucho del sistema de juego que utilice el equipo. En un 4-3-3 debe ser un extremo derecho o un extremo izquierdo. En un 4-4-2 debe ser uno de los dos delanteros. Sería un desperdicio que un talento como él comenzara su fútbol muy lejos del área enemiga. Sería un desperdicio que en un partido hiciera veinte sprints de ochenta metros. Es más aconsejable que recorra los mismos metros pero en posiciones más próximas al gol. No quiero decir con eso que no tenga que defender, que debe hacerlo en el fútbol actual, pero lo suyo será siempre atacar. Creo que con el tiempo, cuando tenga 28-29 años, seguro que se va a transformar en un delantero puro. A él no le gusta ser el primer delantero, pero tiene tanto talento que puede jugar de lo que le dé la gana.

Cristiano, por encima de cualquier otra apreciación, se siente regateador. Una especie a extinguir.

—Driblar, regatear, es un gesto natural en mí. Yo he nacido regateador. Nunca he tenido la tentación de jugar de otra forma. Cuando jugaba en la calle con mis amigos ya solo pensaba en regatear. Cuando eres joven siempre quieres brillar por ti mismo, hacer el gesto, el regate más espectacular, algo que te diferencie de los demás. Es mi estilo. Es mi vida. Los regates me salen de los pies por puro instinto. La técnica nació conmigo, pero ha sido perfeccionada con los años. Practico continuamente en los entrenamientos. Cuando estoy en un terreno de juego mi forma de pensar es lo más simple posible. Yo soy un extremo. Mi fútbol se identifica por el regate y eso no es ser un provocador. Me gusta el desafío de superar al rival que tengo enfrente. No sé jugar de otra manera.

—Algunos pueden pensar que mi manera de regatear es un poco provocadora, que busco excitar al público. Pero nunca lo hago así. Jamás intento burlarme de los contrarios. Los respeto al máximo. Cada regate exige un esfuerzo y una concentración especial sin importar el rival que tengo delante. Intento dar lo mejor de mí y estar siempre concentrado. He evolucionado mucho futbolísticamente con el trabajo de Ferguson y de Queiroz. También me ha ayudado mucho Scolari, aunque haya estado menos con él y haya sido en la selección. Durante el Mundial aprendí muchos conceptos. Desde entonces tomo mejores decisiones. He ido madurando futbolísticamente.

—Me gusta regatear, dejar contrarios atrás, pero no pienso en nada más, no pienso en menospreciar a esos rivales. El regate siempre debe ser positivo para el equipo. No quiero regatear por regatear. Cada año me siento más práctico y sólido en mi juego. Sé elegir mejor qué debo hacer en cada momento. Nunca he tenido miedo a perder el balón, es algo que asumo porque soy así. Soy un gran competidor, yo regateo para ganar. Tampoco tengo miedo en un terreno de juego. Cuando era más joven, en Portugal, algún día lo podía tener, pero no me dejo intimidar fácilmente. Hay que cortarme una pierna para que yo renuncie a un partido.

Técnica

En sus comienzos tuvo a Maradona como referencia. Ha visto muchos vídeos suyos y le considera como una referencia porque tenía la misma pasión por el regate que él. Zidane es otro espejo en el que se ha mirado, pero más estética y técnicamente. No se considera un perfeccionista, pero le gustan las cosas bien hechas.

—Sé que puedo ser el mejor en todo. Quiero mejorar en todas las facetas por mí mismo, además de por el entrenador, el equipo, los aficionados.

Ha sido una constante en su vida. Trabajar él solo. Paolo Cardoso, su primer entrenador en el Sporting, contaba sus horas rematando a puerta colocando picas en forma de barrera. Queiroz no olvida alguna experiencia parecida en el Manchester United.

—Con el tiempo ya me acostumbré y no me asustaba, pero el primer día llamé incluso a seguridad porque creía que se había colado alguien en las instalaciones de Carrington. Estaba en mi despacho, desde donde se ven todos los campos de entrenamiento, y en el más lejano de todos veía una figura que no paraba de moverse. Estaba rematando a puerta. Una y otra vez. Inventaba jugadas, movimientos... Era él, que se había quedado a entrenarse solo. Lo hacía como norma. Media hora, una hora más que los demás. Incluso los días antes de los partidos, por lo que le tenía que llamar la atención porque esos días lo suyo es descansar, prepararse, no cargar. Incluso había días que los utileros venían a quejarse de que no se podían ir a casa porque Cristiano no había vuelto al vestuario. Estaba en el campo o en el gimnasio. Llegué a esconderle los balones después del entrenamiento. Se enfadaba, me pedía por favor que le diera media hora y allá se quedaba ensayando sus «trucos», sus fantasías, sus regates imposibles. Él y una bola.

Su evolución ha sido constante en todos los conceptos del juego hasta convertirse en un delantero total. Su repertorio es completísimo, plagado de registros y de alternativas. Terry, el capitán del Chelsea, con el que ha mantenido duelos extraordinarios, comenta que su principal peligro es que «nunca se sabe lo que

va a hacer cuando le tienes delante y te das cuenta un instante después, cuando ya es tarde». Mantiene la frescura y originalidad de los 17-18 años, lo que entonces le hacía diferente a los demás, pero ha mejorado en todos y cada uno de los conceptos.

Todos los entrenadores que ha tenido destacan su calidad individual innata. Luis Días, uno de sus entrenadores en la cantera del Sporting, asegura que siempre tuvo una relación privilegiada con el balón, como si formara parte de su cuerpo. De pequeño jugaba con todo, una naranja, una botella o un balón de playa. No había diferencias. Con todo hacía sus malabarismos. Él mismo reconoce que en cuanto ve un balón comienza a juguetear con él. «El bichinho está dentro». Su control del balón es excepcional. Utiliza todas las partes de su pie y de la pierna. Su control orientado es tan perfecto que le permite hacer dos acciones en una, la recepción y la salida. Ahí es donde gana el segundo que dice Terry y puede elegir la siguiente jugada, bien en individual para conducir o regatear directamente o para armar el remate con cualquiera de sus dos piernas, aunque él sea diestro.

Regate

Como él mismo reconoce es su gran especialidad. El detalle que más natural le sale. Busca constantemente el uno contra uno y sale por los dos lados. Uno de sus movimientos más característicos es la denominada bicicleta, pasar sus piernas indistintamente y a la máxima velocidad por encima del balón hasta que ve que el rival se mueve o decanta para un lado. Acostumbrado a jugar pegado a una banda, cuando tiene espacios más abiertos es letal. Encara y puede salir hacia fuera o hacia dentro. Su cambio de dirección en carrera es impresionante. Su regate suele ser más en largo que en corto. La diferencia, por ejemplo, con Maradona o Messi, otros regateadores, está en su centro de gravedad, que es más alto con su cerca de 1,90. Por ello busca la salida en largo, donde explota su velocidad.

Velocidad

Su otra gran arma después del regate. Amante del atletismo desde niño, participaba en todas las pruebas que le dejaban cuando estaba en el Sporting. Quien le vio correr entonces asegura que ahora lo hace igual, con pasos cortos pero ejecutados muy rápido. Su velocidad en la conducción del balón es fuera de lo común y casi similar a la carrera sin el esférico entre sus pies. A su rapidez hay que unir su capacidad de resistencia, lo que le permite repetir una cantidad de sprints a lo largo de un partido que termina por agotar a sus marcadores, que no pueden seguirle el ritmo y la intensidad. Todas sus acciones se realizan a una gran velocidad, lo que le permite llegar antes que el contrario al pase o al remate.

Capacidad
goleadora

Cuando llegó al Manchester no se le podía encasillar en el gremio de los goleadores puros. Ni mucho menos. Ahí están sus registros en los dos primeros años. Sin embargo después explotó en este sentido. Su mejor interpretación del juego colectivo, la mejor elección de lo que debe hacer en cada momento, le ha servido para llegar mejor al gol. El propio Ferguson ha reconocido que cuando le ficharon con 17 años no pensaban que se podría convertir en un realizador tan productivo. Entonces era más un pasador, no un finalizador. Los 42 tantos de la temporada 2007-08 le valieron ser Bota de Oro del continente, algo inusual para un extremo.

Posición

Comenzó como extremo derecho, su puesto natural. En el Sporting la presencia de Quaresma obligaba al entrenador a ponerle en la izquierda, un punto de partida desde el que se encuentra muy cómodo. Ahí jugó, por ejemplo, en la final de la Champions contra el Chelsea. Grant le colocó a Essien de lateral para cerrarle el camino. Marcó de cabeza en un centro desde la derecha llegando precisamente desde su posición, la izquierda. En el Real Madrid, en casi todos los encuentros, Pellegrini le ha hecho partir de esa zona, acostado a la zurda. En el Manchester jugó indistintamente en todos los puestos del ataque. Incluso con un 4-3-3, Ferguson le colocó de delantero centro con dos extremos a sus lados. Es una alternativa que no termina de gustarle. Tiene menos libertad de acción, menos espacios y los dos centrales tienen más facilidades para vigilarle. Pero el técnico escocés insistió en varios partidos importantes el año que conquistó la Champions y valoró públicamente el esfuerzo de Cristiano por ayudar al equipo desde un posicionamiento más sacrificado y con menos libertad de movimientos.

Ahí jugó contra el Roma los dos partidos y frente al Barça en el Camp Nou en las semifinales. En esos tres partidos marcó un gol. Fue en el Olímpico. Extraordinario, de cabeza. Al día siguiente la Prensa inglesa, concretamente el *Daily Mail*, le definió como un superhéroe. «Más rápido que una bala, es un superman del remate, un héroe de las historietas transportado a la vida real».

POSICIONES EN LAS QUE PUEDE JUGAR

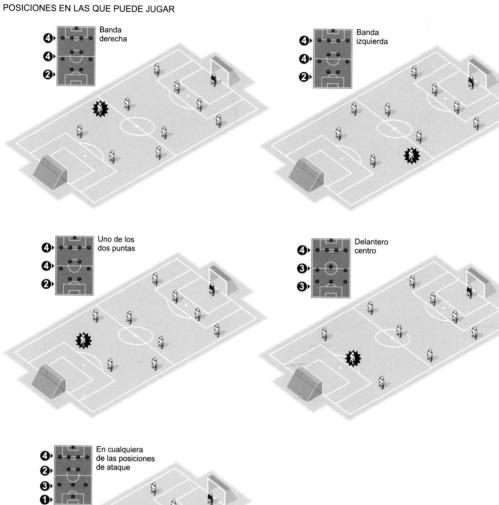

Banda
derecha

Banda
izquierda

Uno de los
dos puntas

Delantero
centro

En cualquiera
de las posiciones
de ataque

Faltas
directas

Otra de sus especialidades y uno de sus secretos mejor guardados. Desde muy joven se obsesionó con los lanzamientos directos y los ha trabajado hasta la saciedad. Carlos Queiroz tiene bien presente su adaptación al balón de la final de la Champions.

—El día que se recibieron los balones con los que se iba a jugar la final, Cristiano quiso quedarse después del entrenamiento porque había notado muchas diferencias con el que se había venido jugando la competición. Nos quedamos los dos solos para corregir cosas que habíamos estudiado. Remataba y remataba y el balón salía en todas direcciones menos hacia la portería. Al día siguiente continuó probando. No acertaba y yo ya estaba preocupado. Le corregía su posición a la hora de golpear y él aceptaba los consejos. De repente pegó una y se fue a la escuadra. «Ya está», me dijo, «ya la tengo, ya la he cogido». Y a partir de entonces fueron entrando todas. Simplemente era cuestión de dar un paso más atrás a la hora del golpeo de cómo lo venía haciendo antes con el otro balón.

Es lo que Queiroz llama «cultura del detalle», «cultura del profesionalismo». En el Manchester no le dejaron lanzar las faltas hasta la tercera temporada. En la quinta transformó hasta cinco lanzamientos directos. Cristiano quiere mantener su secreto a la hora de ejecutar los golpes francos. Queiroz está convencido de que ha alcanzado tal efectividad gracias a su talento natural y a la repetición.

—Con su calidad, si repites, repites y repites mil veces llegas a la perfección. El talento y el trabajo es una mezcla explosiva. No es un trabajo de un año, ni de dos. Estudié la biomecánica de otros jugadores, la suya y fuimos comparando, probando. La posición de la cabeza, la posición del pie, del cuerpo…

Sus lanzamientos tienen un ritual. Lo primordial es la concentración. Uno, dos, tres, cuatro o cinco pasos atrás y uno a la izquierda o a la derecha para abrir el ángulo de disparo. Respiración profunda. Los brazos a lo largo del cuerpo. Busca la válvula del balón para el golpeo. Sus dos registros más utilizados son el golpeo con el empeine por encima de la barrera o golpear con el interior para salvar la barrera por el lateral.

—Al momento de golpear solo pienso en una cosa, el lado donde voy a tirar. Enseguida visualizo el golpeo y lo ejecuto. Miro el balón, miro la portería y digo «tira bien Ronaldo». Y tiro. Lo que nunca voy a hacer es desvelar el secreto de mi golpeo porque estaría dando pistas al contrario. Pero todo está relacionado. El golpeo con la colocación del cuerpo, con la forma de correr hacia el balón y la manera en que se coloca el pie.

Juego de
cabeza

Su mejora más palpable hasta marcar goles de esta forma realmente impresionantes, como el de la final de la Champions contra el Chelsea o uno a la Roma en el Olímpico. No podía haber sobrevivido en el fútbol británico sin ganar consistencia en el choque, en el cuerpo a cuerpo, algo impensable cuando llegó al Sporting y era un jugador enclenque. Aprendió a golpes, como tantos otros jugadores que recalan en las islas. De hecho en el Manchester, en los entrenamientos, se trabajan los choques, los saltos, las disputas aéreas del balón. Incluso se enfundan los guantes de boxeo. También trabajó la técnica del salto, del impacto del balón con la cabeza. Aprendió que todo es cuestión de confianza, de no tener miedo a la hora de meter la cabeza... aunque se la puedan abrir. Cristiano se aprovecha de su excelente «timing» en el salto. Su potente tren inferior le permite tener una gran potencia para levantarse y suspenderse en el aire. Además suele adelantarse a la acción, atacar el balón con intuición. De los 42 tantos que marcó la temporada 2007-08, nueve fueron de cabeza.

7

ICONO

Na visita a Timor em 2005 percebi de forma intensa a Responsabilidade que se pode ter em ser Futebolista. O entusiasmo daquela gente por estar comigo, tocar-me, fazer uma foto ao meu lado, receber um Autógrafo foi inesquecível.

UN ICONO MUNDIAL

Y UN CAMPEÓN DE LA SOLIDARIDAD

«CUANDO ESTUVE EN LA CAPITAL DE TIMOR EN 2005 Y VI EL RECIBIMIENTO, EL FERVOR DE ESA GENTE POR QUERER ESTAR CERCA DE MÍ, TOCARME, HACERSE UNA FOTO CONMIGO O TENER UN AUTÓGRAFO MÍO COMPRENDÍ LA GRAN RESPONSABILIDAD QUE SE PUEDE LLEGAR A TENER POR SER FUTBOLISTA».

Como no podía ser
de otra forma,

detrás del Cristiano jugador de fútbol hay un Cristiano persona. Las dos vidas caminan juntas, paralelas, pero desgraciadamente para él desde hace media docena de años la versión personal ya no es tan privada, aunque intente llevarla con la mayor sencillez posible. Sin pretenderlo se ha convertido en algo más, en mucho más, que un futbolista de elite. Es un icono social. Un fenómeno de masas. El mito naciente, como le definió Jorge Valdano a su llegada al Real Madrid. «Hay miles de jugadores profesionales, pero Cristiano no hay más que uno. Un modelo social y publicitario. Un prisma mediático mundial».

¿Por qué?

Sencilla pregunta. Complicada respuesta. No todos los grandes deportistas alcanzan la categoría de fenómeno de masas y, sin embargo, sí han existido deportistas simplemente correctos en el desarrollo de su actividad que han hecho mover el fútbol a su paso. En el caso de Cristiano se aúnan las dos premisas. Futbolísticamente es un elegido y socialmente su figura trasciende mucho más allá de sus puras condiciones como jugador. Lo quiera o no ya es un producto mediático con una capacidad extraordinaria para que con él se identifiquen seres humanos de distinto sexo, distintos perfiles sociales, distinta edad, distintos continentes. Solo los individuos con gran personalidad son capaces de alcanzar tal grado de atracción. Gente carismática a la que acompaña el físico, es sencilla, constante y puede ser puesta como ejemplo de superación personal.

juego se ha convertido en un espectáculo con pocos protagonistas y muchos espectadores… La tecnocracia del deporte profesional ha ido imponiendo un fútbol de pura velocidad y mucha fuerza, que renuncia a la alegría, atrofia la fantasía y prohibe la osadia. Por suerte todavia aparece en las canchas, aunque sea muy de vez en cuando, algún descarado carasucia que se sale del libreto y comete el disparate de gambetear a todo el equipo rival, y al juez y al público de las tribunas, por el puro goce del cuerpo que se lanza a la prohibida aventura de la libertad».

Una profecía del escritor uruguayo. Adivinó que volverían a aparecer fenómenos que trascendieran con su juego y su forma de interpretarlo. En el caso específico de Cristiano la única diferencia es que más que un «carasucia» es un «caralimpia» que interpreta a la perfección ese papel liberador y que

Manuel Vázquez Montalbán (Barcelona, 1939) se preguntaba en su libro póstumo, «Fútbol, una religión en busca de un Dios»: ¿Qué ha ocurrido en el fútbol, en los equipos, en las aficiones, para que este noble deporte se haya convertido en un espectáculo trascendente? ¿Son las grandes estrellas del balón reencarnaciones de los antiguos dioses olímpicos? ¿Es el fútbol la nueva religión del siglo XXI?». No tenía ninguna duda este barcelonista de pro en cuanto a que «los estadios parecen catedrales, los aficionados adoran los colores de su equipo y los protagonistas del espectáculo, condicionados por el mercado, se han convertido en portadores de mensajes publicitarios, en auténticos iconos mediáticos».

Vicente Verdú (Elche, 1942), escritor y periodista, doctorado en Ciencias Sociales por la Universidad de la Sorbona y gran aficionado al fútbol, escribió en 1981 una maravillosa obra titulada «El fútbol, mitos, ritos y símbolos» en la que ya observaba la religiosidad del hincha hacia su ídolo y la contemplación del jugador como objeto de placer. Por lo tanto él, mejor que nadie, llega a entender por qué se producen estas situaciones y por qué un futbolista de 24 años se convierte en un fenómeno social. En Cristiano, Verdú ve reflejada la figura del héroe. El modelo del héroe.

«En Cristiano veo la imagen del joven que se va de casa, que abandona la familia y todo lo que tiene para cumplir una misión revelada. Es como una llamada en su interior. Se marcha en busca de ella y en soledad comienza a desarrollar esa labor inspirada providencialmente. En su caso la llamada está reflejada en su ambición de ser el mejor. Posiblemente él estaba llamado a ser el mejor y eso es lo que siente de niño y por eso lo busca con tanta intensidad. Jugando al fútbol se sentía ya un nivel superior.

En esa tarea, el héroe tiene en muchas ocasiones unos éxitos precoces que reafirman su condición extraordinaria, pero le sobrevienen desgracias capitales, puede llegar a morir joven y su carrera aún se enaltece más. Se supone que ha entregado su sangre joven en la búsqueda de esa llamada interior que le movilizó en su momento. Esta figura ha existido en el mundo del cine, de la literatura, de la pintura… Otras veces el héroe es herido, supera esas desgracias, renace y su recuperación le engrandece aún más y continúa con su lucha por conseguir todo lo que ha soñado ser. Eso, en el caso de los futbolistas, ocurre en forma de lesiones.

En estos ejemplos de héroe, la belleza, como le ocurre a Cristiano, es capital. El héroe siempre está adornado de una belleza exterior, de una figura estilizada, bella, narcisista, con un áurea de grandeza. En estos casos hasta la forma de peinarse es importante. Cristiano tiene ese mechón áureo. Tiene una figura estéticamente incomparable que engrandece sus condiciones como futbolista. Messi, en un terreno de juego, hace bien todo lo que sabe hacer bien. Regatea, dispara, es veloz… pero no sorprende. Sabemos que es tan bueno que lo sabe hacer y lo hace. Cristiano, sin embargo, sorprende, llama la atención porque es más estético, más danzarín, más grácil. Tiene movimientos más poéticos, más cautivadores desde el punto de vista de la dinámica.

El héroe hace las cosas y ni se cansa. La sonrisa que desprende quiere demostrar que lo hace todo de forma natural. Messi es más laborioso, Cristiano es como los pájaros que cantan cuando vuelan, como investido por un valor de los dioses. La explotación de este mundo de encantamiento hace de ellos figuras encantadas. El héroe no se debe dejar penetrar. Tiene que ser escurridizo, mercurial, que no se pueda tocar. Entra en juego la seducción. Tú te enamoras de él, le deseas, pero él no te corresponde, no te necesita. Tu a él, sí; él a ti, no. Es el juego entre la ansiedad de poseerlo y la forma en la que él se escapa. El héroe suele ser solitario. Si acaso tiene un escudero, un protector, un hermano que le cuida. Pero desde luego se perfila mejor en solitario.

Dentro del terreno, Cristiano es así. Kaká, por ejemplo, colabora más en el juego colectivo y eso le resta luces personales, protagonismo. Cristiano, no. Cristiano es él. Juega él. Hace la jugada él. Marca él. Aunque también los héroes tienen rasgos de generosidad, pero nunca un par que le pueda hacer sombra. Tiene que ser único, como el David de Miguel Ángel. Por eso, para preservar su figura, para enaltecerla, tiene que seguir siendo un impar. No sería bueno para su modelo de héroe tener una mujer o novia, al menos durante un tiempo, mientras se desarrolle la situación actual.

Para alcanzar la trascendencia que ha logrado ya Cristiano es desde luego indispensable que guste a todos. A hombres, a mujeres, a ancianos, a niños. Tiene que ver con su condición de extraordinario. Despide un halo extra, por eso converge en él gente tan diversa. Creo que el último fenómeno de estas características fue Beckham, que conectó hasta con el glamour de la moda. Cristiano, sin llegar todavía a ese punto, va por ese camino. Ya es hombre-Armani, como lo fue Beckham, y este es un mundo a la caza de la figura que le pueda representar bien».

En la lista de personas con más referencias en Internet durante el año 2008, Cristiano se encuentra entre los diez primeros del mundo con 36 millones de citas y más de un millón de imágenes. Concretamente ocupa la séptima posición y es el primer deportista que aparece en la relación. El presidente de los Estados Unidos, Barack Obama, encabeza ese ranking con 280 millones de referencias. En los dos siguientes puestos se encuentran las cantantes Katy Perry y Rihanna, con 82 y 50 millones, respectivamente. Como simple dato orientativo hay que señalar que el primer español en la nómina de los más populares en la red es Rafa Nadal, undécimo con 25 millones de referencias.

La página no oficial de Cristiano Ronaldo en Facebook tenía en el mes de mayo casi tres millones de seguidores y era la séptima con más fans por detrás de las de Obama, Coca Cola, Nutella, Pizza, Doctor House y Pringles. Su fichaje por el Real Madrid fue una de las noticias del año en todas las redes sociales y medios de comunicación de todo el mundo.

Publicitariamente el futbolista es ya una mina de oro. Pero los que gestionan su imagen saben perfectamente que su prioridad es el fútbol y han limitado sus contratos a grandes marcas. Por eso rechazan diariamente ofrecimientos. Incluso alguno verdaderamente escandaloso, como un contrato de dos millones de euros por una sesión de fotos de tres horas. Nike, Espírito Santo (BES), Armani, Clear, Soccerate y Castrol son ahora las referencias publicitarias del jugador.

Personalmente, Cristiano disfruta cuando se imbuye en el mundo del marketing y la publicidad. Se siente cómodo con las cámaras. Tiene buena relación con ellas. Intenta comportarse en los anuncios con la misma profesionalidad que lo hace en un campo del fútbol. Al fin y al cabo justo cuando llegó al Manchester United firmó su primer contrato con el grupo financiero portugués BES. El anuncio consistía en rematar y rematar a puerta y la portería siempre desviaba el balón, hasta que al final caía derribada y Ronaldo marcaba. Desde entonces ha filmado tantos anuncios y realizado tantas sesiones fotográficas que ya es un experto en la materia.

Hasta Vogue Estados Unidos le contrató para un reportaje de moda y la revista holandesa Gay Grant le nombró el jugador más sexy de la Eurocopa 2004 y el Mundial 2006.

Por todo lo que se acaba de exponer, su figura traspasa fronteras, continentes. Por ejemplo, Asia es su mercado. Desde que visitó China con el Manchester United y gracias a un anuncio de Coca Cola, su imagen en todo este continente causa furor. Cristiano tiene grabado para siempre el viaje que en junio de 2005 realizó a Timor e Indonesia como embajador de la Cruz Roja, con acciones de ayuda a las víctimas de todo el mundo. Su primera visita, entonces, fue a Dili, capital de Timor. Él sabía que Portugal y Timor históricamente habían tenido una relación intensa y que se trataba de un país donde el fútbol era una pasión y su selección era una de las preferidas. Pero nunca se podía imaginar que desde que aterrizara todo un país se podría colapsar con su llegada.

Además de visitar al primer ministro Mari Alkatiri y a varios miembros de su Gobierno conoció a Xanana Gusmao, principal líder de la resistencia timorense y que entonces era presidente de la República Democrática de Timor-Leste, figura de la quedó impresionado. Veinte mil personas le esperaban en el estadio de Dili y si no es por la propia guardia de seguridad de Xanana posiblemente ese encuentro multitudinario se tendría que haber suspendido. Pero el mismo Gusmao acompañó a Cristiano al estadio y le abrió paso para que el jugador pudiera decir unas palabras de agradecimiento desde la tribuna.

Era tanta la pasión con la que se esperaba a Cristiano que en muchos momentos la aglomeración masiva de gente estuvo a punto de acabar en tragedia, aunque finalmente pudo salir hacia Yakarta no sin tener que superar una última invasión de pista por parte de

una muchedumbre que no se resignaba a quedarse sin una fotografía de su ídolo. Esa jornada resultó inolvidable para Cristiano, tanto como la vivida días después en Banda Aceh, norte de la Isla de Sumatra, la más maltratada por el tsunami que arrasó gran parte de esa zona del Índico en diciembre de 2004 y causó decenas de miles de muertos. Lo que Cristiano tenía ante sus ojos era mucho más dramático de lo que podía haber visto por televisión en su momento y pensó que toda la ayuda que él pudiera proporcionar, tanto con sus aportaciones económicas como con su presencia física, sería poco para las necesidades de esa gente, que se volcó con él abandonando momentáneamente la reconstrucción de sus casas y su puestos de trabajo. La subasta de tres camisetas de Cristiano, de unas botas y de un balón alcanzó en la puja los 100.000 euros, cantidad destinada para la ayuda de los más necesitados y a las familias de las víctimas.

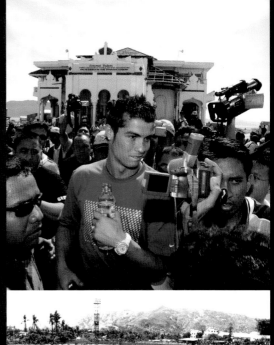

Allí Cristiano se reencontró con Martunis, un niño de siete años que había sobrevivido a la tragedia del tsunami. Diecinueve días estuvo enterrado antes de ser rescatado de debajo de los escombros luciendo una camiseta de Portugal. Cristiano ya conocía al chaval porque la Federación Portuguesa le había invitado a un partido de la selección en Lisboa y entonces ya tuvo oportunidad de saludarle. Scolari le preguntó a Martunis cómo se llamaba Cristiano y él, sin dudar, dijo su nombre. El secreto radicaba en que su equipo era el Manchester y el «7», su ídolo.

El jugador se comprometió a volverle a ver cuando visitara Indonesia y ahí estaban, otra vez juntos. Cristiano con la misma sonrisa y Martunis con la misma timidez y sin atreverse a soltar una palabra. Ronaldo le regaló una camiseta y un móvil y lo primero que hizo el chaval fue pedirle el número de teléfono para llamarle... aunque estaban uno enfrente del otro y no se atrevía ni a mirarle a la cara. El jugador también donó un dinero para la reconstrucción de la casa de su joven amigo.

En esos momentos, Cristiano también se sentía como un niño porque en el fondo, como él mismo dice, no quiere dejar de serlo. Aunque por orden estricta suya sus acciones humanitarias y solidarias se publicitan lo menos posible y casi siempre se llevan a cabo discretamente, sin la presencia de los medios de comunicación, la realidad es que es muy sensible e intenta corresponder lo más posible a las ayudas que le solicitan diariamente desde todos los rincones del mundo.

8

ASÍ LE VEN

Eu divirto-me Jogando Futebol.
E penso que continuarei desfrutando toda
a minha vida. As vezes pode parecer que
estou chateado, mas não.
Acho que nunca houve nehum jogo que
não me divertisse a jogar.

ASÍ LE VEN

UN PROFESIONAL
ÍNTEGRO

«YO ME DIVIERTO JUGANDO AL
FÚTBOL, DESDE SIEMPRE Y CREO
QUE SEGUIRÉ DISFRUTANDO TODA
LA VIDA. A VECES PUEDE PARECER
QUE ESTOY ENFADADO, PERO NO.
NO RECUERDO NINGÚN PARTIDO
EN EL QUE NO HAYA SENTIDO EL
PLACER DE JUGAR».

Es difícil encontrar una unanimidad
tan abrumadora.

Todo aquel que ha visto trabajar a Cristiano Ronaldo, ya sea entrenador o futbolista, compañero o contrario, valora por encima de cualquier otra cualidad su profesionalidad. Una realidad recogida en su amor al trabajo, su implicación con la causa, su aplicación a la materia, su afán de superación, su incontrolable ambición por convertirse primero en futbolista y después en el mejor del mundo. Los técnicos que le han tenido o le tienen a sus órdenes, los compañeros que han convivido con él en un vestuario e incluso los rivales que le han sufrido enfrente se rinden a la evidencia y así lo han manifestado cada vez que alguien les ha pedido una opinión sobre el futbolista.

Laszlo **Boloni** (El entrenador que le subió al primer equipo del Sporting y le hizo debutar en Primera)

«NUNCA VI TANTO TALENTO CON 16-17 AÑOS»

«Recuerdo que después de verle entrenarse y jugar comenté que ese jugador podía ser más grande que Eusebio y Figo, las dos grandes referencias de la historia del fútbol portugués, y parecía que había cometido un crimen ante los ojos de los periodistas portugueses del momento. No sé si ahora es ya el mejor jugador del mundo, el tiempo lo dirá, pero lo que no debemos hacer es meterle más presión con este tipo de cuestiones. Creo conocerle bien. Puede dar la imagen de ser caprichoso, pero yo le he visto llorar tras perder un partido de la Copa de Portugal

»Tiene una cualidades innatas, tanto técnicas como físicas. Yo le tuve con 16-17 años y mostraba para esa edad una madurez absoluta y una gran fuerza mental. Incluso creo que ha mejorado y puede seguir superándose en estos dos aspectos. Futbolísticamente ha ido mejorando en todo. Me

alegra sobre manera que se haya convertido en un gran pasador. Al principio era más individualista. Solo le interesaba el balón. No fue sencillo hacerle comprender y que aceptara muchas cosas, como luchar contra sus exageraciones permanentes en forma de regates, túneles, fintas, bicicletas, y que trabajara más tácticamente, sobre todo el juego sin balón. Pero sus condiciones técnicas eran extraordinarias y cuando yo le tuve ya fascinaba por su habilidad con las dos piernas.

»Ahora desequilibra más contrarios porque alterna las acciones individuales con el juego con el compañero. Siempre fue muy trabajador. Cuando se le pedía un esfuerzo, lo hacía. Cuando se tiene talento y su capacidad de sufrimiento no hay que estar preocupado por su futuro. Yo nunca lo estuve. Nunca había visto un jugador con tanto talento a esa edad».

«TALENTO MÁS TRABAJO, SU FÓRMULA EXPLOSIVA. ES EL MICHAEL JORDAN DEL FÚTBOL»

«Supe de su existencia cuando él tenía 16 años. Era mi primera temporada en el Manchester United y como ese primer año no asumía ninguna responsabilidad en el reclutamiento de jóvenes jugadores, informé de él a Alex. Me hablaban tan bien de él en Portugal que insistí en que no le podíamos dejar escapar. Me lo decía gente de mi confianza, que entendía de talentos y formación de juveniles y que había trabajado conmigo en la Federación. Como en el club no se terminaban de decidir, forcé que se firmara con el Sporting un acuerdo de cooperación en la formación de entrenadores y jugadores. Ellos nos pidieron que en esa secuencia de colaboración jugáramos un amistoso en agosto (2003), porque el Manchester les parecía el club con más impacto para un acto como la inauguración del nuevo estadio. Yo hice todo lo posible para que ese partido se disputara. Cristiano ya había jugado el año anterior en Primera con el Sporting y había podido verle en acción. Ya no era lo que me contaban, era lo que yo había visto.

»A la larga creo que ese partido fue decisivo en su contratación. Además, Alex sabía que yo me marchaba al Real Madrid y también que tenía tanta confianza en Cristiano que se lo hubiera recomendado a mi nuevo club, como hice con Pepe o Luizao. Era sin duda el jugador a fichar. El Manchester se dio cuenta de ello y no quiso correr riesgos. Cuando regresé a Old Trafford después de mi año en el Real Madrid comencé a trabajar con él mañana, tarde y noche. Y digo noche porque era cuando preparábamos los entrenamientos específicos suyos y de otros jugadores para el día siguiente. Yo había trabajado con muchos talentos, Figo, Rui Costa, Paulo Sousa, Joao Pinto… pero rápidamente empecé a sentir que su potencial era único. Sus capacidades, sus virtudes, su talento. Era un súper en todo. Me di cuenta de que estaba delante de un superhombre. En toda mi vida, y he trabajado con muchos jugadores por todo el mundo, había visto una creación de Dios en la cancha como él.

»Según pasaban los años me parecía perfecto. Veo en él todo lo bueno que he visto en todos esos jugadores que he entrenado. Tenía, tiene, la creatividad de Figo, la potencia de Ronaldo, la elegancia de Zidane… Lo mejor de todos ellos en uno solo. Atlético, técnico, intuitivo, amante del fútbol y, además, lo que más le distingue de todos es su firmeza, su auto confianza, su determinación mental. Con 19 años ya tenía estas cualidades. Era muy raro para esa edad. Cristiano debe tener dudas en su vida como todos las tenemos, pero en lo que no tiene dudas es en que quiere ser el mejor. Y por eso trabaja, se entrena, repite y repite y repite acciones hasta hacerlas perfectas.

»Escucha bien, procura entender las cosas, trabaja los detalles. Su fórmula es explosiva: talento más trabajo. Es muy raro que un hombre con tanto talento quiera trabajar tanto. Yo creo que va a seguir mejorando y mucho. Tiene 24 años. Cristiano nació solista, era un primer violinista de la orquesta. Jugaba para él. Zidane, por el contrario, era desde el principio un director de orquesta, hacía tocar, hacía jugar a los demás. Con la madurez, Cristiano también alcanzará esa dimensión y hará jugar, hará mejor al resto de la orquesta, del equipo. Creo que esa cualidad ya la tiene, ya hace mejores a los demás.

»En eso se parece a Michael Jordan. Para mí es el Michael Jordan del fútbol. Tiene un talento divino. He visto muchos jugadores en mi carrera pero creo que, para los próximos diez años, será el equivalente para el fútbol europeo de Michael Jordan para la NBA. Michael también era un solista al principio, con 25 o 26 años. Lucía él, jugaba para él, la estrella era él. Sin embargo con 33 era un maestro que enseñaba a los demás y hacía jugar a los demás. Ya no sabías si era base, alero o pívot. A Cristiano le pasará lo mismo, no se sabrá si es delantero o extremo, será el futbolista sobre el que girará el equipo.

»Nunca había visto un joven con un nivel similar de talento. Técnica, física y atléticamente tiene actitudes para el entrenamiento y la competición. Sus condiciones son increíbles. Se entrena como nunca he visto entrenarse a nadie. A veces hay que decirle que pare porque debe saber gestionar sus esfuerzos físicos. Aprende entrenándose, como hacía Pelé. Si pudiera estaría siempre con el balón en los pies y eso es lo que le permite marcar las diferencias. He visto muchos jugadores que tienen gran calidad y que sin embargo

no llegan a ser grandes del todo después. Ahora, tras treinta años de técnico y ver a Cristiano, comprendo por qué muchos no levantaron el vuelo. No basta la clase, hay que sudar todos los días como hace él.

»Sin embargo, después de dicho todo esto lo vital es que Cristiano nunca olvide que lo más importante en su vida es el fútbol. Primero, fútbol; después fútbol y por último, fútbol. Me explico. Por supuesto que la familia es aparte. Lo que quiero decir es que cuando un futbolista deja de pensar que el fútbol es su primera prioridad su rendimiento desciende. Ruego a Dios que nunca le pase a él. El fútbol perdería mucho y Cristiano tiene todavía mucho que dar al fútbol y a los aficionados».

Alex Ferguson
(Manager del Manchester United)

«EL MANCHESTER NO SERÁ EL MISMO SIN ÉL»

«Su etapa en el Manchester ha sido completísima, pero creo que con los años que tiene sus mejores temporadas están por llegar. En dos o tres años se podrá ver el mejor Cristiano Ronaldo, su mejor juego. En la vida hay dos clases de personas: las que llegan, consiguen un objetivo, se echan a dormir y se conforman y las que no se conforman, siempre buscan más y tienen más voluntad y ambición, las que cuando ganan un trofeo o un título ya piensan en el siguiente y mantienen ese deseo de mejorar hasta los 70-80 años. Cristiano está entre estas. No digo que vaya a jugar hasta esa edad, pero sí que él piensa así, siempre quiere más y más.

»Un momento muy importante de nuestra relación fue cuando ganó el Balón de Oro. En el Manchester llevábamos cuarenta años esperándolo, desde que lo lograse George Best en el 68. Ahora ya tenemos cuatro en nuestra historia, junto a Bobby Charlton y Dennis Law. Indiscutiblemente se hizo acreedor a aquel trofeo.

»Es muy receptivo al trabajo. No hay que decirle nada. Asimila bien los consejos que se le dan, incluso pregunta cosas y participa de los asuntos, lo que muestra su grado de implicación y aplicación. Después de los entrenamientos se queda sistemáticamente a trabajar él solo. Ensaya faltas, tiros, regates… y después se va a la sala de musculación. En seis años que ha estado con nosotros nunca se perdió un entrenamiento. Creo que llegó al mejor club que podía llegar en un buen momento. Pudo ir a otros clubes entonces, pero supo elegir el Manchester. En todo este tiempo no tengo más que elogios sobre él, en seis años ha evolucionado muchísimo. Para mí es el mejor del mundo, muchas millas, muchas calles por delante de Messi y Kaká. Su contribución al equipo es increíble, como sus estadísticas. Es una amenaza de gol constante, marca, pasa, entra en el área, cabecea, lo tiene todo, es absolutamente asombroso. Puede emular a grandes futbolistas como Pelé o Maradona. Está en el camino.

»Su marcha es una gran perdida para el United y un desafío para nosotros. No seremos los mismos sin él. Pero quién sabe, a lo mejor algún día vuelve. Él amaba el United».

Jorge **Valdano**
(Director ejecutivo del Real Madrid)

«ES LA AMBICIÓN PUESTA AL SERVICIO DE LA GLORIA»

«El caso de Cristiano Ronaldo nos confirma el cambio de status del fútbol y por extensión del futbolista. El fútbol se ha convertido en un fenómeno social y ahora tiene más aduladores que destructores. No hay gente ahora que quede al margen de este fenómeno-fútbol. Ha integrado mujeres, intelectuales, mucha gente joven y esta tendencia convierte al fútbol en un actor central, referente, principal, hasta el punto de ser un modelo social, publicitario, de conducta.

»La televisión ha jugado un papel importantísimo en esta transformación. Antes hasta por el tiro de la cámara todo se presentaba como algo que era labor de un grupo, ahora los primeros planos, los seguimientos potencian al individuo, dan la sensación que uno solo es más fuerte que el equipo entero, esto pasa por ejemplo con Cristiano Ronaldo.

»Cristiano saca ventaja por su talento, por el protagonismo de los equipos en los que juega que ganan grandes competiciones, por sus logros personales al acaparar trofeos y títulos. En todo esto juegan otros tipos de valores, entre ellos el físico. Es una persona atractiva. Es una postal como futbolista sin jugar siquiera al fútbol. Antes de ponerse a ello. Podría vivir de su condición de modelo. Hay una condición que le hace fascinante pero que es muy difícil de analizar. Su capacidad de aparecer y desaparecer. Un día, estando de vacaciones, aparece en una foto con París Hilton y se arma un gran revuelo. Luego está tres meses donde no sabemos dónde está porque se esconde, desaparece. Ese misterio ayuda a darle al personaje rasgos indescifrables que atraen sobremanera a la opinión pública.

»Además tiene una personalidad muy poderosa. Siempre me niego a dividir a la gente entre perdedores y ganadores, pero este se me escapa de la norma. Es un ganador claro. Tiene vocación ganadora. Vocación por sobresalir, por trascender, por demostrar quién es. Se le nota en su discurso, en su forma de trabajar, de jugar. Es la ambición puesta al servicio de la gloria. No se resigna hasta mostrar que es el mejor en todo momento. No se lo reserva para el domingo. Detrás de todo hay horas y horas de trabajo esforzado. Tiene una extraña obsesión por la perfección profesional y personal. Tiene gusto por la perfección. Una ambición de ser el mejor y el mejor físico.

»Él sabe que para su patrón de juego tiene que trabajar mucho la potencia y la velocidad y lo hace. En sus primeros partidos en el Real Madrid no se encontraba en el punto de excelencia que él necesita para mostrarse. Pero cuando lo consiguió con ese trabajo rutinario, marcó nueve goles en un mes, en su primer mes en un equipo nuevo, en una ciudad nueva, en una Liga nueva. Su lesión no fue casual. Fue producto de que él llega antes a los balones. Los contrarios piensan que van a llegar ellos, pero como llega Cristiano miden mal y se producen las lesiones.

»Cristiano es un portento físico, pero tiene un muy buen manejo técnico. Tiene una buena conducción, control, regate, remate, salto de cabeza. Es muy completo. No solo destaca en una cosa, tiene una variedad de recursos amplia. Le cuesta más ver el pase que la acción individual, pero es normal. No es un jugador de conexiones. Sus expresiones son individuales. Para el pase o la acción colectiva, digamos que es más desinteresado porque sabe que no le hace protagonista principal.

»Piensa en el gol antes que en la jugada. Si él ve la portería mete toda su energía. Me parece un delantero de todo el frente del ataque. Puede jugar en la banda porque para él no existen distancias, ni tiempo. Es tan rápido y fuerte y la fatiga llega a otros y él permanece intacto».

George **Best** (Ex jugador del Manchester Balón de Oro en 1968)

«ME ADULABA QUE LE COMPARASEN CONMIGO»

George Best murió en noviembre de 2005, pero antes dejó una profecía sobre Cristiano que se cumplió con exactitud, pues tres años después el portugués ganó el Balón de Oro y fue elegido mejor jugador del mundo.

«En tres años se convertirá en el mejor jugador del mundo. A lo largo de los últimos años la Prensa ha querido comparar a muchos jugadores conmigo, pero solo cuando lo han hecho con Cristiano Ronaldo me he sentido adulado».

Denis **Law** (Ex jugador del Manchester, Balón de Oro en 1964)

«ME RECORDABA A BEST, SIEMPRE QUERÍA HACER ALGO DISTINTO»

«Lo que más valoro de Cristiano es que es un jugador que hace vibrar a la afición. Cuando recibe el balón siempre se tiene la sensación de que puede pasar algo. Lo mismo sucedía con George Best, por eso Cristiano me lo recuerda. George siempre quería hacer algo diferente, distinto. Es un verdadero extremo. A los defensas les gusta que les lleguen desde el medio porque es más fácil defender, pero cuando les abordan desde los extremos es otra historia. Cristiano, además, ha aprendido. Al principio quería regatear a muchos jugadores, ahora sabe cuándo tiene que regatear o cuándo pasar o rematar a portería.

»Su evolución ha sido enorme. Los jugadores a los 16 o 17 años tienen talento, pero es más tarde cuando marcan la diferencia, cuando se hacen jugadores de equipo y no solo individuales. Por esta razón son muchos los que se han quedado a mitad de camino a pesar de tener unas grandes condiciones individuales. Cristiano aprendió y por eso está donde está».

Bobby **Charlton** (Ex jugador del Manchester United, Balón de Oro en 1966)

«CAUTIVÓ OLD TRAFFORD POR SU TALENTO DESDE EL PRIMER DÍA»

«Desde el primer día que saltó a Old Trafford, en el partido contra el Bolton, el público se dio cuenta de que estaba ante un jugador especial. Su breve aparición cautivó y se convirtió desde ese momento en uno de los jugadores preferidos de la afición, porque los aficionados siempre han admirado a los jugadores cautivadores, con talento y calidad individual. Cristiano encaja en esa categoría. No necesitó mucho tiempo para confirmar lo que ya apuntó en ese estreno. Bien orientado por Alex Ferguson se hizo un hueco en el equipo y en la Premier.

»El incidente en el Mundial 2006 con su compañero Rooney le colocó en una situación difícil ante los aficionados ingleses, pero de esos apuros y abucheos emergió un nuevo Cristiano aún más profesional. Ante su reacción el público dejó de meterse con él y él continuó con su carrera demostrando que es un talento verdaderamente grandioso».

Evra (Jugador del Manchester United,
tres años compañeros y uno de sus mejores amigos)

«ES EL PROFESIONAL MÁS GRANDE CON EL QUE ME HE ENTRENADO, NUNCA TIENE BASTANTE»

«La imagen que se tiene de él no se corresponde a como realmente es Cristiano. Precisamente él huye de esa aureola *fashion*. Es el profesional más grande con el que me he entrenado. Nunca tiene bastante. Quiere ser el primero en todo. No soporta perder ni al ping-pong. Quiere ser el mejor. Por eso cada día se entrena más, pero nunca juega a ser estrella, le molesta esa idea que algunos tienen de él. En su vida privada, fuera del campo, es un buen muchacho, muy tranquilo. Le encanta desconectar, estar en casa. Su problema es que está marcado, catalogado, como Beckham, y parece que no tiene derecho al error. Es un gran motivador del equipo. En el vestuario es el primero en gastar bromas, en poner música. Tiene siempre buen humor y lo contagia a los demás. Hemos pasado mucho tiempo juntos, también con Heinze. Yo tengo 24 hermanos y eso le hace reír mucho. Cuando estoy hablando por teléfono con alguno, él me pregunta cuál es, el tercero, el octavo…».

Ricardo

(Portero del Osasuna y ex compañero en el Manchester)

«NOS METÍAMOS CON ÉL PORQUE SIEMPRE IBA A LA MODA, ERA UN POCO PITIMINÍ»

«Yo llegué a Manchester una temporada antes que él y precisamente en la que él llegó yo me fui al Racing en la última semana de agosto, con lo que solo estuve con él diez o doce días. Después sí coincidimos una temporada completa, la 2004-05. Recuerdo muy bien el día que jugamos en Lisboa, en agosto de 2003. El Sporting nos ganó bien y Cristiano nos volvió locos. Estábamos en el autobús esperando al mister para irnos al aeropuerto y se retrasaba más de la cuenta. Entonces los compañeros comenzaron a decir que se había quedado a fichar al rubito que jugaba tan bien. Nos lo tomamos a broma y la sorpresa que nos llevamos fue enorme cuando al día siguiente le vimos entrenándose en Carrington. Le acompañaba su representante, Jorge Mendes, que no se separaba de él.

»Al año siguiente mi mujer me dio una fiesta sorpresa por mi cumpleaños y allí se presentó Cristiano con Heinze y con el preparador físico, Di Salvo. Era un encanto de chaval. No hacíamos mucha vida en común porque él estaba soltero y nosotros casados, pero en el vestuario siempre estábamos juntos, con Fortune, con Gabi Heinze y con Van Nistelrooy, que ya hablaba un poco de español y le gustaba tanto que tenía un profesor. En el vestuario nos metíamos mucho con él por cómo vestía, siempre se estaba mirando al espejo, siempre iba a la última, le gustaba la ropa, la moda en general. Era un poco pitiminí, pero aceptaba bien las bromas porque por encima de todo era cariñoso. Tenía carisma dentro del vestuario para ser tan joven. Hablamos de que era su segunda temporada en el Manchester.

»Como futbolista yo, que me he entrenado con él, puedo decir que me parece completísimo. Lo tiene todo. Velocidad, fuerza, buen regate, fantasía, la pega con las dos piernas y con gran potencia. Cuando yo estaba bajo los palos lo que más me llamaba la atención era que es imprevisible. Yo siempre suelo mirar el balón, sin fijarme quién lo conduce, pero con él era imposible porque podía hacer cualquier cosa».

Luis **Suárez** (Ex jugador del Deportivo de La Coruña, Barcelona, Inter y Sampdoria, Balón de Oro (1960). Entrenador. Ex seleccionador nacional. En la actualidad es asesor del presidente del Inter)

«¡CÓMO REGATEABA CON 16 AÑOS! PARECÍA UN JUGADOR DE MI ÉPOCA»

«Reconozco que ahora menos, pero hace unos años cada vez que veía jugar a Cristiano Ronaldo en el Manchester me daban ganas de llorar. Ya me he acostumbrado a verle con otra camiseta y más ahora, que está en el Real Madrid, pero cada vez que le veo no puedo olvidar que a ese jugador le pudo fichar el Inter. Con 16 años. Es una historia digna de contar. Él jugaba en el juvenil. Me llamó Jorge Mendes, un representante portugués que se llama curiosamente igual que el manager actual del jugador pero que no tienen nada que ver. Me dijo que había un chaval en el Sporting que era un fenómeno. Algo fuera de lo normal. Muy distinto a los chavales de su edad. Me fui a verle. Uno, dos, tres partidos… Tenía razón.

»Recuerdo un partido contra el Belenenses. Le salió todo bien. Ya era alto para su edad. Y fuerte. Jugaba en campos de tierra, muchas veces con barro, y marcaba las diferencias. Se veía que iba a ser bueno, muy bueno. Los contrarios lo sabían e iban a cazarle. Le pegaban unas patadas terribles. Pero él no tenía miedo. Iba e iba una y otra vez. Me mandaron después un vídeo suyo de un partido que jugó en Vigo en un torneo amistoso. Marcó un golazo. En otro de los encuentros que le vi hizo un gol como el de Ronaldo al Compostela. Cogió el balón en el medio campo y se fue sorteando contrarios hasta que marcó.

»Yo era consciente de que había otros clubes detrás de él porque en Portugal el chaval, para su edad, era muy conocido. De verdad que yo hablé con mi presidente, Moratti, un año y pico largo antes de que lo firmara el Manchester. Le dije que no me equivocaba, que era un jugador distinto, especial. Tenía velocidad, regate, potencia, era valiente, osado, le gustaba encarar y driblar, no tenía miedo. Moratti tiene mucha experiencia y me decía que era demasiado joven. Que esperásemos un tiempo, que lo siguiera viendo, que no le perdiera la pista. Insistí e insistí y unos meses antes de que se fuera a Manchester ya tenía medio convencido al presidente de que diéramos una señal de uno o dos millones al Sporting para asegurarnos al jugador y le dejábamos que siguiera jugando allí. El club portugués ya pedía 15 millones de euros y tenía 17 años. Que yo sepa la Juventus y el Arsenal se interesaron antes incluso que el Manchester, pero los de Old Trafford firmaron un convenio con el Sporting, creo que por medio de Carlos Queiroz, la mano derecha de Ferguson, y por eso se lo terminaron llevando.

»Estuve en Lisboa reunido con él y con su madre. Estaba también una hermana, creo recordar, y algún primo. Hablamos de la posibilidad de fichar por el Inter. Su representante no era todavía Jorge Mendes, era Luis Veiga, que también llevaba a Luis Figo y a Quaresma. Entonces pensaba que su puesto idóneo sería el de delantero centro. A un jugador como él nunca hay que atarle a una posición. Hay que dejarle libertad. En el Sporting jugaba por detrás del delantero centro, que era Jardel, y también por la izquierda, porque a la derecha actuaba Quaresma, que era un año mayor que él. Cuando llegó al Manchester se acopló a la banda derecha porque por el centro jugaba Van Nistelrooy y en la izquierda, Giggs. Además se había marchado Beckham al Madrid.

»Entonces, cuando yo le vi, solo le faltaba gol. Era un espectáculo verle jugar, pero no remataba tanto. ¡Cómo regateaba! Parecía un jugador de mi época. Con el tiempo en el Manchester demostró que cuando se tienen tantas cualidades como él reúne también se termina siendo goleador. Ahora no creo que haya un delantero más completo en el mundo… Y no puedo olvidar que pudo ser del Inter. Cuando aún no había cumplido los 17 años…».

Paulo **Futre** (Ex jugador del Atlético de Madrid entre otros clubes y también un producto de la cantera del Sporting de Lisboa)

«ES EL MÁS COMPLETO DE TODOS, MÁS QUE EUSEBIO»

«Cristiano y yo tenemos muchas cosas en común. A los dos nos descubrió la misma persona, Aurelio Pereira, director de la Academia del Sporting. Los dos somos de esa cantera y crecimos en ese club al que llegamos de niños, los dos somos extremos… y los dos hemos acabado en Madrid, aunque él en el Real y yo en el Atlético. La diferencia es que yo soy casi veinte años mayor que él. Yo entré en el Sporting con 10 años. Podía haberlo hecho el año anterior, pero como jugaba con ficha falsa porque en realidad tenía nueve tuve que esperar un año. Mi ventaja es que mi casa estaba muy cerca de Lisboa y me podía ir a dormir a ella. Cristiano, sin embargo, tenía que estar siempre en la Residencia. Hubo un par de temporadas que yo también me quedaba allí interno porque era una paliza ir dos o cuatro veces a Montijo, por muy cerca que estuviera. Creo que tanto él como yo, igual que decenas y decenas de jugadores, tenemos que estar agradecidos a Aurelio Pereira por su capacidad para descubrir talentos. Figo, Simao, Porfirio, Hugo Viana, Quaresma… y tantos otros. Todos llegamos al Sporting de su mano.

»Lógicamente como portugués y al salir del mismo sitio que yo siempre estuve muy atento a la carrera de Cristiano. Siempre me llamó la atención su velocidad, su regate. Me recordaba a mí de joven, pero creo que él es más completo que todos los demás y que con el tiempo incluso puede llegar a ocupar el lugar de Eusebio en la historia del fútbol portugués. Cristiano puede jugar de todo, de extremo y de primera punta. Y ni Figo ni Eusebio, por citar a los dos jugadores que también han ganado el Balón de Oro y son máxima referencia en mi país, podían jugar en esa posición. Yo tampoco. Si me apura, Cristiano puede ser incluso segunda punta, por detrás del delantero centro. Es el más completo de todos. Incluso más que Eusebio. Y creo que aún está por llegar el mejor Cristiano. Tiene 24 años, ya está en el Real Madrid y ha jugado seis años a un gran nivel en el Manchester United. Estamos ante un ejemplar único».

Toñito

«YO LE DÍ EL PASE DE SU PRIMER GOL… PERO DESPUÉS SE REGATEÓ A TRES O CUATRO»

«Con Cristiano coincidí en el Sporting dos temporadas, en la primera 2001-02, él jugaba con el equipo junior, pero junto a Quaresma se entrenaba ya muchos días con el primer equipo. A Boloni, nuestro técnico, le encantaban los dos jugadores y al final de esa temporada ya jugaron algún amistoso. A la siguiente, ya era jugador de la primera plantilla y casi siempre estábamos juntos. Desde el principio tuvimos buena relación. Por mi forma de ser siempre he intentado ayudar a los chicos más jóvenes y con Cristiano congenié desde el primer día. Él vivía al lado del puente de Vasco de Gama, en la zona de la Expo y yo le recogía y le dejaba cuando íbamos a Alcochete a entrenarnos. No puedo olvidar que el día de su debut con el primer equipo, que fue contra el Inter en un partido de la previa de la Champions, entró al campo sustituyéndome y el día que marcó su primer gol, el pase fue mío, de tacón… Bueno esa es la broma que yo siempre le gastaba porque realmente antes de marcar se dribló a tres o cuatro jugadores. Lo hizo él todo, pero yo al menos fui el último en tocar al balón antes de controlarlo él. Tenía 16-17 años y era como ahora le veo por televisión. Hace tiempo que no coincidimos, pero de vez en cuando nos mandamos mensajes y yo le felicité cuando fichó por el Real Madrid.

»Por entonces ya era un inconformista, como no era titular indiscutible se quejaba mucho. En el coche no paraba de decirme que quería convertirse en el mejor futbolista del mundo. No me extraña nada que lo haya conseguido porque tenía condiciones innatas y además su fuerza mental era extraordinaria. En quince años de profesional por distintos países, no he visto un jugador con esa fuerza interior, esa mentalidad. Su obsesión era el fútbol, se cuidaba al máximo, solo vivía para los entrenamientos. Se pasaba más horas que nadie en el gimnasio y después de los entrenamientos, él y Quaresma se quedaban con el tercer portero y no se cansaban nunca de rematar a puerta. Muchas veces tenía que salir el entrenador a buscarles porque se había hecho de noche y había que cerrar los vestuarios.

»Por la mañana, antes del entrenamiento, teníamos nuestro juego especial. En el gimnasio cogíamos una papelera y la pegábamos a la pared para que hiciera de tablero. Al principio solo éramos cuatro, Cristiano, Quaresma, Rodrigo Tello, un chileno y yo… Pero al final casi todo el equipo se metía a jugar al gimnasio. Hasta los capitanes, Sa Pinto, Joao Pinto, Barbosa… Cristiano era habilidosísimo y las colaba todas. Jugábamos con una pelota pequeña, un poco más grande que una de tenis y más pequeña que la de fútbol sala y las reglas eran que solo se podía dar un toque. Estábamos enviciados.

»Siempre fue un chico humilde, de buen trato, gustaba de gastar bromas, siempre estaba sonriente, pero tenía muy claro cuál era su meta. Todo lo que se propone lo consigue. Antes y ahora. De cabeza, psicológicamente, es el más fuerte del mundo. Tiene un plus comparándolo con los demás y no es otro que esa fuerza psicológica. A eso hay que añadir sus condiciones. Me admiraba su regate. Venía de los juveniles y en los entrenamientos jugaba con un desparpajo fuera de lo común. Normalmente cuando subes al primer equipo te cortas un poco, respetas a los veteranos a la hora de tirarles un caño o un sombrero, él no. A Cristiano solo se le podía parar a patadas. Su pegada al balón ya era entonces la de ahora. Seguro que a base de tanto entrenar la ha mejorado, pero ya entonces nos sorprendía con esa parábola que coge el balón cuando él remata. Queríamos imitarle y a ninguno nos salía. Es único».

Valter Di Salvo

(Ex preparador físico del Manchester United, Real Madrid y Lazio)

«FUERZA MENTAL, GENÉTICA, TRABAJO, CONSTANCIA, AMBICIÓN Y PASIÓN»

«Estuve tres años con Cristiano en el Manchester United y tengo los suficientes conocimientos de causa para decir que es un atleta con unas características físicas increíbles. Para definirle la mejor palabra es atleta. Es un muy buen futbolista con una estructura física de un atleta. Tendrá que agradecer a sus padres que le han dotado de una estructura muscular de fibras rápidas. Eso es algo genético. O lo tienes o no. Es el mismo caso de Bolt. No solo se consigue entrenándose.

»A esta genética hay que sumar el trabajo para mejorarla. Y eso es mérito de Cristiano y los que le han ayudado a desarrollarla. Ha desarrollado su físico como un atleta, no como un futbolista normal. Desde chaval hacía mucho más entrenamiento que los demás. La mayoría hora y media, dos. Él aportaba un trabajo anterior y posterior. En el gimnasio, en su casa, en el hotel él continúa con su trabajo de compensación, de desarrollo. Tiene una capacidad mental, una fuerza mental para desarrollar sus cualidades. Cuando llegó

al Manchester se tenía que desarrollar. He conocido muchos casos de futbolistas que se quedan porque no desarrollan. No fue su caso y todo lo que ha hecho y hace lo puede hacer porque su cabeza está predispuesta a hacer todo lo que necesite.

»Es un hombre con constancia, ambición, paciencia, pasión. Tiene una fuerza interior que le diferencia de los demás. Lo normal en un chaval de 18 ó 19 años es jugar al fútbol y después disfrutar de la vida, pero Cristiano siempre tiene presente en su cabeza su objetivo de ser el mejor. Si tuviera que anteponer cualidades yo diría incluso que su fuerza mental está por delante de las condiciones genéticas y del desarrollo que ha hecho de ellas. Puedes tener esas cualidades pero sin fuerza mental no consigues superarlas, mejorarlas.

»Esa fuerza mental también le sirvió para superar momentos muy malos en su vida privada como cuando murió su padre y profesionalmente, como por ejemplo cuando toda la polémica con Rooney por su expulsión en el Mundial 2006. La Prensa le atacaba. Las aficiones le silbaban. Tuvo problemas con la justicia

porque dos chicas acudieron a la Policía a denunciarle. Se demostró que todo era mentira, un invento. Salió adelante con todo. Y él solito. Si no tienes esa fuerza mental cosas como esas no las superas. Le silbaban y él metía un gol. Más silbidos. Más goles. Respondía en el campo. Su actitud fue que hable el futbolista dentro, no la persona fuera. Ese es el mejor idioma en el mundo del fútbol. Cuál no sería la situación que en los periódicos se llegó a pedir que si querían ganar al United, dejaran de pitar y silbar a Cristiano. Ese mismo año fue elegido mejor jugador de la Premier por los propios periodistas que se rindieron a su porfesionalidad.

»Técnicamente ha evolucionado solo. Con trabajo individual. Se quedaba él solo en los campos de Carrington y ensayaba, ensayaba. Cristiano cuando llegó a Manchester tiraba las faltas como los demás. Si ahora es un especialista y las tira como las tira es porque se ha entrenado hasta la saciedad. Cientos y cientos de lanzamientos. Quería mejorar y ha mejorado hasta alcanzar esa precisión y esa potencia. Tácticamente ha evolucionado con sus compañeros

y bajo la supervisión de sus técnicos, Ferguson y Queiroz. El trabajo está detrás de lo que ahora se ve.

»Desde el punto de vista puramente físico destacaría su potencia en la aceleración. Es muy explosivo. Es único. Es potente y veloz. Hay que ser muy bueno para correr a esa alta velocidad y tener una precisión tan alta. Es increíble como combina gestos técnicos a esa velocidad. Lo lógico es tener más precisión a balón parado, él la tiene a la máxima velocidad. Eso le diferencia de los demás. Yo he trabajado con jugadores de parecida técnica, pero no a la misma velocidad. Es muy completo. Un atleta, como antes decía, con una gran habilidad física, técnica y táctica, a lo que se suma su fuerza mental. Las cuatro grandes condiciones que le hacen único.

»Además como persona es un gran chico. Muy simple. Sabe escuchar, se deja aconsejar. Ferguson y Queiroz han sido muy importantes en su crecimiento personal, no solo en el futbolístico. Tuvo suerte de caer en el Manchester United. No tuvo nunca una gran presión externa. Era el lugar idóneo para desarrollar todo lo que llevaba dentro».

Diego **Forlán**
(Compañero en el Manchester United durante una temporada)

«SIEMPRE ESTABA CON UN BALÓN EN LOS PIES INTENTANDO INVENTAR COSAS NUEVAS»

«Cuando llegó uno de sus principales hándicap era el idioma y le ayudé lo que pude para que entendiera todo lo que decía el entrenador. Siempre estaba cerca suya y de Kleberson, un brasileño que llegó también Yo había vivido en Brasil cuando mi padre jugaba allí y además había estudiado el portugués en la escuela y me defendía bien. Desde el primer día nos llamó la atención que siempre estaba con un balón en los pies. Se pasaba los entrenamientos intentando inventar regates nuevos, toques nuevos. Se veía que era un

»Tenía unas condiciones naturales, pero además trabajaba mucho. Lo que más me llamaba su atención era su regate y la velocidad a la que lo ejecutaba. Era explosivo. Arrancaba y era difícil pillarle. Jugaba por las bandas y yo cuando lo hacía más por el centro. No éramos competencia directa.

»Era un chico muy comunicativo. Al principio tenía un poco de vergüenza, pero era lo normal. Tenía 18 años y no hablaba ni entendía el idioma. Coincidíamos en un club deportivo. Yo jugaba al golf y él al billar. Nos gastábamos nuestras bromas, pero nunca fuimos de salir juntos. Cuando lo hacíamos era

Gerard **Piqué**
(Compañero en el Manchester United durante tres temporadas)

«ES IMPREVISIBLE, EN LOS ENTRENAMIENTOS AÚN ES MÁS ESPECTACULAR QUE EN LOS PARTIDOS»

«Cuando yo llegué al United, él ya llevaba una temporada. El día que debuté en la Premier contra el West Ham él estaba en el equipo. Hicimos buenas migas. Éramos casi de la misma edad y nos sentábamos en el autobús juntos en los desplazamientos. Siempre atrás. Cristiano, Vidic y yo. Ninguno de los tres hablábamos bien inglés y nos entendíamos entre nosotros como podíamos. Le enseñábamos a Vidic palabras en español y él alguna en serbio.

»Lo que más me llamó la atención de Cristiano fue que era un jugador supertrabajador. Antes del entrenamiento se pasaba por el gimnasio. Después del entrenamiento se quedaba ensayando faltas. Siempre convencía a un portero para que se quedara con él. Siempre busca la perfección aunque puede saber que no existe, pero él quiere estar lo más cerca posible. En muchos entrenamientos me he enfrentado a él y era imprevisible porque todo lo hace bien. Controla y sale por la derecha, por la izquierda. Cuando puede parecer que va a regatear, remata según le viene. Estando quieto su salida es tremenda. No es fácil llevarle a tu terreno. A otros delanteros le dejas una salida natural para provocarle que lo haga. A él no, siempre llevaba la iniciativa. Es tan bueno en todo que tienes que adivinar qué está pensando, qué va a hacer.

»Verle entrenar o entrenarse con él es un espectáculo. Es lo que hace en los partidos multiplicado. A nosotros ya no nos llamaba la atención lo que se inventaba en algunos encuentros porque casi siempre se lo habíamos visto antes en los entrenamientos. Las trabajaba, es como si se les preparara para luego hacerlas en público. Fintas, caños, bicicletas… Algo distinto. Te decía que te lo iba a hacer y te lo hacía. Cuando las cosas iban mal quería el balón para él, quería decidir. Es algo que le sucede a las grandes estrellas. También a Messi, a Ibrahimovic.

»Tiene un buen sentido del humor. Siempre está contento. Fuera de Carrington, la Ciudad Deportiva del Manchester, no nos veíamos mucho. Él no era muy de salir. Siempre estaba en casa con los suyos. Le gustaban los deportes. Al ping-pong era muy bueno. Él y Rio Ferdinand, los mejores. También le daba al tenis. En el gimnasio reventaba las máquinas de pesas. Tenía ya entonces mucho carácter. A veces sacaba el mal genio. No le gustaba perder y más de una vez, a pesar de que era de los jóvenes, le he visto decir unas cuantas cosas en el vestuario, en el descanso de algún partido. Nos ponía las pilas.

Pepe

(Compañero en la selección y en el Real Madrid)

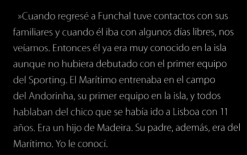

«QUIERE GANAR A TODO, SI LE GANAS NO SE VA A DORMIR HASTA QUE NO LE DAS LA REVANCHA»

«Conocí a Cristiano en el verano de 2002. Yo jugaba en el Martítimo de Funchal, la capital de Madeira, la ciudad donde él nació. Fui a Lisboa a hacer una prueba con el Sporting de Lisboa. Él estaba en el equipo junior, pero se entrenaba con el primer equipo. Estuve casi un mes, él tenía 17 años y estábamos en dos habitaciones pegadas. Había una puerta general y luego cada uno teníamos nuestro cuarto. Como los dos clubes no se pusieron de acuerdo porque el Sporting me quería cedido a prueba y el Marítimo prefería traspasarme yo volví para Madeira y jugué otras dos temporadas allí antes de fichar por el Oporto. Incluso él se fue antes al Manchester.

»Me di cuenta de su profesionalidad en esos días que compartí con él. Me despertaba y le llamaba a su habitación y ya no estaba. Ya se había ido al gimnasio.

»Cuando regresé a Funchal tuve contactos con sus familiares y cuando él iba con algunos días libres, nos veíamos. Entonces él ya era muy conocido en la isla aunque no hubiera debutado con el primer equipo del Sporting. El Marítimo entrenaba en el campo del Andorinha, su primer equipo en la isla, y todos hablaban del chico que se había ido a Lisboa con 11 años. Era un hijo de Madeira. Su padre, además, era del Marítimo. Yo le conocí.

»Después ya coincidimos en la selección. Como Scolari le llamó antes a él, cuando yo llegué me ayudó bastante, además tenemos el mismo representante, Jorge Mendes. Incluso hemos estado unas vacaciones juntos en Oporto en casa de Jorge.

»Cuando Cristiano fichó por el Madrid, sabía que le debía una y fue a mí quien le tocó hacer de cicerone. Intenté los primeros días estar lo más cerca posible de él. Hablarle, explicarle las cosas. Sé que es importante este tipo de ayudas cuando llegas nuevo a un sitio. Aunque él habla bien español y lo entiende, tenía dudas y yo se lo explicaba. Sin embargo como es listo, en la pretemporada en Dublín se sentó en la mesa con Raúl. Sabía que el capitán le podía contar más cosas y aconsejar mejor sobre el Real Madrid que yo.

»Futbolísticamente es difícil que yo pueda decir algo nuevo de Cristiano. Es un fenómeno. No es algo normal. Es muy fuerte físicamente y mentalmente también. Es un profesional tremendo. Está obsesionado con el trabajo. Y con ganar. Solo quiere ganar. A todo. Al tenis, al ping-pong, a cualquier juego… Bueno al billar no es tan bueno y se enfada si pierde y te pide la revancha. No se quiere ir a la cama hasta que no te ha ganado.

»Es muy bromista. Te imita. Te pinta en un papel. Siempre quiere llevar la razón. Cuando discutimos de algo, de lo que sea, si no está de acuerdo se va a internet para comprobar quién tiene la razón. «Yo tengo razón, yo tengo razón». Y sus apuestas siempre tienen que ver con el gimnasio. «El que pierda hace 300 flexiones», dice. Pero yo aunque pierda no las puedo hacer. No hay quien le siga el ritmo».

Manuel Pellegrini

(Entrenador del Real Madrid)

«EL REAL MADRID TIENE UN STATUS DIFERENTE CON ÉL»

«La confianza que él tiene en todo lo que hace le permite marcar las diferencias. Es un hombre que marca la personalidad del equipo y eso es bueno para el equipo y para el rival, que lo siente. Es muy completo futbolísticamente y me habían hablado de su profesionalidad, detalle que ahora he podido comprobar directamente. Llega una hora antes, se va una hora después. Hace trabajos específicos.

»Él tiene mucha fe en sí mismo. Es un inconformista. Quiere mejorar en todo. Es todo lo contrario de lo que parece. Es un muchacho sencillo que vive su profesión intensamente. Nunca me gustó comparar jugadores, lo que sí tengo claro es que Cristiano es un jugador distinto. No creo que sea tan individualista como pueda parecer desde fuera. Está claro que por sus características siempre va a querer tener el balón, conducir, antes que asociarse con sus compañeros. No creo que sea bueno cortarle las alas.

»Él es capaz de hacer muchas cosas y hay que dejarle. Sus características son esas, producir acciones individuales. Pero no creo que lo sea tanto como se dice porque él siempre va con la cabeza levantada y tiene un buen panorama de lo que sucede en el campo.

»Mi obligación como técnico es pedirle lo mejor que hace e intentar amortiguar aquellas cosas que no hace tan bien. Lo más importante es que desarrolle todo lo que tiene dentro. A mí, particularmente, me gusta arriba del todo, de delantero suelto en punta. En la banda sufre un desgaste mayor. A él le gusta más arrancar desde los costados, sobre todo desde el izquierdo, porque se siente más libre y puede encarar y buscar los mano a mano. Desde ahí desarrolla más su potencia, pero en la banda puede perder energía en metros que luego le son necesarios en los últimos veinticinco metros.

»Es muy considerable también su juego de cabeza. Tiene un muy buen "timing" de salto, además tiene estatura. Con el balón en los pies tiene un amplio repertorio. No es fácil marcarle, ni anticipársele, porque sabe moverse, desmarcarse.

»El Real Madrid tiene un status diferente con él».

Eusebio (Ex-futbolista del Benfica, Balón de Oro en 1965 y Bota de Oro 1966 y 1973. Reconocido como mejor jugador portugués de la historia)

«ES UN DIOS DE OTRO MUNDO»

«Me siento orgulloso de que Cristiano haya firmado por el Real Madrid. Siempre fue mi equipo en España, como lo era el Manchester United en Inglaterra. Era contra los equipos que más luchábamos en mis tiempos del Benfica y de tanto enfrentarme a ellos les cogí cariño. Estuve en la presentación de Cristiano en el Bernabéu y me pareció algo asombroso. Era la primera vez que veía algo así. Lo estuve comentando con mi amigo Alfredo di Stéfano. Definir a Cristiano como futbolista es difícil, es un dios de otro mundo. Para mí ya es el mejor del mundo. Desde hace tiempo venía hablando de su potencial. Su llegada al Real Madrid va a ser bueno para él. Va a crecer aún más futbolísticamente.

»Lo tiene todo para ser el mejor del mundo, pero aún puede progresar más. A medida que vaya adquiriendo experiencia podrá mejorar su juego sobre el campo. Si tiene la cabeza en su sitio, creo que cada año que pase podrá hacerlo mejor, porque tendrá más experiencia, pero no debe olvidar que tiene que trabajar en diferentes aspectos, como controlar el ritmo del juego o el dominio del balón, a pesar de que ya es bueno en esos aspectos. Le deseo y le aconsejo que no abandone el buen camino».

O melhor "onze" da minha vida não tem substituicões. É composto por aqueles que me têm ajudado a ser melhor pessoa e jogador em cada momento da minha carreira, ou seja a minha família e amigos intimos.

EL ONCE
DE SU VIDA

EL CRISTIANO
SIN BALÓN

«EL MEJOR "ONCE" DE MI VIDA NO TIENE SUSTITUCIONES. ESTÁ COMPUESTO POR AQUELLOS QUE ME HAN AYUDADO A SER MEJOR PERSONA Y JUGADOR EN CADA MOMENTO DE MI CARRERA, ES DECIR MI FAMILIA Y MIS AMIGOS MÁS ÍNTIMOS».

«Si Dios no agrada
a todo el **mundo,**

no le voy a agradar yo», comenta Cristiano Ronaldo cuando algunos quieren buscar en él, en su forma de comportarse, manifestaciones extrañas o fuera de lo común. Aunque lleva media docena de años conviviendo con esa mochila cargada en su cada día más fornida espalda, le molesta que la gente hable de él sin conocerle. Y simplemente le incordia porque algunos reciben una imagen absolutamente distinta de cómo es fuera de un terreno de juego.

—Soy una persona muy normal, sencilla, que solo tiene una cara. Me entristece a veces dar otra imagen, pero los que me conocen saben cómo soy. ¡Claro que me preocupa lo que se dice de mí! Lo respeto, pero muchas veces no estoy de acuerdo.

El Cristiano sin balón es un joven que en febrero de 2010 cumple 25 años y que se ha hecho a sí mismo. Pero siempre con el amparo, en ocasiones desde la lejanía, de sus padres y sus hermanos. Quizá por eso cuando le pido que me haga el once de su vida, su equipo ideal, como si fuera su propio seleccionador,

elige a once miembros de su entorno. El único que no es familiar directo es Jorge Mendes, pero para él es uno más. Como buen amigo de sus amigos, Cristiano sabe que caer en las manos de este hombre, que dirige sus destinos futbolísticos desde hace ocho años, cambió absolutamente su vida.

Entonces él tenía 16 años y Jorge Mendes se abría paso en el mundo del fútbol como representante de jugadores. Ya formaban parte de su equipo los Deco, Costinha, Nuno... pero lo mejor para él estaba por llegar. Hoy en día, si Cristiano es el mejor jugador del planeta Jorge Mendes está en la élite, en la esfera de la representación con una empresa de treinta empleados que trabaja en los cinco continentes. Gestifute, que así se llama la compañía, controla los destinos de casi todas las grandes estrellas del fútbol portugués, que no son pocas: Cristiano, Quaresma, Deco, Carvalho, Paulo Ferreira, Veloso, Nani, Bosingwa, Anderson... además de a técnicos del prestigio de Mourinho y Scolari.

y se pone a la tarea de formar el equipo de su vida. De su puño y letra. Ante mi sorpresa comienza dibujando un campo de fútbol en el que no faltan ni los banderines, aunque eso sí, hay dos medios círculos en cada área. No hay posiciones. Es una familia. Todos juegan de todo y a todos les quiere y necesita lo mismo, incluso a su padre, fallecido en septiembre de 2005 cuando él estaba en Moscú con la selección. Fue el día más triste de su vida y todavía se emociona cuando recuerda cómo fue llamado por el seleccionador Scolari y en presencia de Figo, su capitán entonces y amigo siempre, le comunicaron la noticia. Le ofrecieron volver a casa, pero él dijo que no, se quedó y jugó. Estaba convencido de que era lo que papá, como muchas veces le llaman, su pai, en portugués, hubiera querido.

Vayamos con el once de gala.

—Máe. Pilar de la familia, la jefa. Se llama María Dolores.

—Pai. Por su generosidad y amistad con todos sus hijos. Una persona extraordinaria a la que siempre echaré de menos.

—Elma. Mi hermana mayor. Tiene 36 años. Por la educación que me dio junto a los otros hermanos. Vive en Madeira, donde tiene una tienda de mi marca de ropa.

—Hugo. Mi hermano. 34 años. Por la ayuda que me prestó en el fútbol, siempre con buenos consejos. Lo que tenía que hacer, lo que no tenía que hacer. Que no me quejara, que la pegara de esa forma, de esa otra. Él también fue jugador, pero no profesional. Tiene un negocio de carpintería en Madeira.

—Catia. La pequeña, aunque es mayor que yo, 32 años. Por el cariño con el que me trataba cuando era bebé y me cambiaba los pañales. Era cantante, grabó dos discos, pero ya no canta. Tiene otra tienda de mi marca en Lisboa.

—Beatriz. 10 años. Mi primera sobrina, que me llenó de orgullo. Es hija de Hugo.

—Rodrigo. 8 años. Es hijo de Catia. Mi primer sobrino varón. Pensé que iba a ser jugador de fútbol, pero no lo va a ser porque tiene otros talentos que me encantan. Baila y canta.

—Eleonor. Hija de Elma. Es un orgullo para mi hermana y para mí por lo linda que es.

—Zé. Es mi cuñado. Vive conmigo desde que me fui a Manchester y lleva a mi lado desde Funchal. Es el marido de Catia. Tiene 37 años. Un amigo incondicional y verdadero.

—Jorge. Mucho más que mi representante. Ha influido en todos los aspectos de mi vida. Es mi amigo y mi otro hermano mayor, como Hugo.

—José Dinis. Es un sobrino que está por nacer. Mi hermana Catia está embarazada y nacerá en tres meses. Va a ser niño y llevará el nombre de mi padre, de lo que me siento muy orgulloso. No ha nacido, pero ya forma parte del equipo.

El entrenador de ese equipo podría ser sin duda Alex Ferguson, el hombre que el 13 de agosto de 2003 le llamó en los vestuarios del José Alvalade para decirle oficialmente que ya era jugador del Manchester United y que durante seis años, con sonrisas y lágrimas, le ha ayudado tanto futbolística como personalmente. Cristiano reconoce que el viejo escocés de los mofletes colorados ha sido determinante en su vida, en su carrera. Una vez consumado el fichaje por el Real Madrid y en plenas vacaciones se desplazó hasta Manchester simplemente para cenar con él y darle las gracias por todo lo que había hecho en los últimos seis años. Sus palabras son de agradecimiento.

—Ferguson tiene dos caras distintas y las dos me han ayudado a convertirme en lo que soy ahora. Es el entrenador que, probablemente, más sabe de fútbol en el mundo. He aprendido de él todos los días y sabía que por mucho que mejorase, él siempre podría enseñarme cosas nuevas. Cada consejo que me ha dado me ha hecho mejor persona. Desde que llegué

a Manchester fue como un segundo padre para mí. No es que le respete, es que por él siento el mismo afecto que siente un hijo por su padre. Siempre le he escuchado porque sus consejos, además de buen futbolista, me han hecho ser mejor persona.

A punto de cumplir los seis meses en Madrid, Cristiano es feliz en su nuevo destino. Solo la inoportuna lesión que le ha tenido casi dos meses apartado de los terrenos de juego ha enturbiado un aterrizaje en una ciudad que comienza a conocer poco a poco. Todavía ahora se pierde más de lo que quisiera, pero menos que recién llegado, cuando una noche -aún vivía en un hotel- tuvo que pedir ayuda a los paparazzi que le perseguían con su coche para encontrar el camino de vuelta. Cristiano vive en una casa en una urbanización del norte de Madrid en la que también residen otros compañeros de equipo. Normalmente solo está con él su cuñado Zé, inseparables, y cuenta

con la ayuda de una familia portuguesa, Miguel y Patricia, que le cuidan como a un hijo. Su madre le visita con más frecuencia que en Manchester porque está enamorada de Madrid y siempre tiene la ayuda de los hombres de la empresa de Jorge Mendes, que le solucionan los problemas que le puedan surgir y le acompañan en sus compromisos sociales, publicitarios y de marketing.

En el vestuario del Real Madrid ha caído muy bien por su sencillez, su trato afable y porque siempre está de broma. Sus imitaciones ya empiezan a ser comentadas, aunque todavía no llega a la categoría del tenista serbio «Nole» Djokovic. Sabe relacionarse con todos, desde el capitán al utilero pasando por los fisioterapeutas o los responsables de Prensa. Eso sí, ya se han dado cuenta todos, al igual que los empleados, directivos y ejecutivos del club, de que tiene una seguridad absoluta en todo lo que hace.

Autoconfianza total. La demostró desde el primer día. El Real Madrid no le venía grande. Cuando se puso la camiseta blanca era conocedor de la trascendencia del momento y del futuro.

Como el propio presidente Florentino Pérez piensa y proclama, Cristiano ha nacido para jugar en el Real Madrid. Sabe adaptarse a todas las situaciones y las afronta con la misma responsabilidad. En seis meses y con una lesión por medio que le ha alejado del vestuario a diario está bastante más integrado que otros jugadores que llevan más tiempo. Los que conviven con él están sorprendidos por su capacidad de trabajo. Lo ha hecho toda la vida y siempre le ha funcionado. Pretende ser uno más. Ni quiere ni acepta prebendas. Se comporta con una normalidad rígida, pero es consciente en todo momento de quien es y de lo que representa. Lo que aún da más mérito a esa normalidad cotidiana con la que se desenvuelve.

No aceptó tener una seguridad especial que le ofreció el club. Incluso en la concentración de Dublín pidió que le quitaran al «defensa» que la organización local le había puesto encima para que le siguiera a todos lados. Quería ser uno más y libre… dentro de un orden. Solo en los desplazamientos, en las llegadas a las estaciones o aeropuertos, tiene cerca la presencia de uno de los hombres de la guardia del club, pero en la misma medida que los otros jugadores más mediáticos del equipo.

Es metódico en su trabajo y en su vida diaria, hasta el punto de que a las pocas semanas de estar en el Madrid, a la vuelta de un viaje, Sergio Ramos, su compañero de equipo, le preguntó si al día siguiente quedaban para comer o cenar. La respuesta de Cristiano sorprendió a todos los que la escucharon.

—No puedo, mañana tengo sesión de cartas…

Sí. Desde hace cuatro años, sistemáticamente, dedica un día a contestar las dos mil cartas de admiradores y admiradoras que recibe a la semana. Le llegan desde todos los rincones del mundo con especial atención al continente asiático, donde sienten devoción por él. Las buenas lenguas dicen que se gasta cuatro mil euros al mes en responder a todas.

Ordenado, como se puede comprobar si se contempla su taquilla del vestuario o su habitación en los viajes. Concede absoluta prioridad al fútbol. Todo lo demás queda en un segundo plano. Nunca acepta tener dos compromisos al día fuera de su actividad futbolística. Prefiere comer en casa pero cada vez, con discreción, se mueve mejor por los mejores restaurantes de Madrid. Se cuida comiendo, aunque no desprecia nada. Como buen portugués le gustan el bacalao con patatas y los guisos de su madre, pero los hidratos nunca faltan en su mesa.

Le atraen todos los deportes y los practica siempre que puede. Adicto al gimnasio y al culto de su cuerpo, no es difícil llegar a su casa o a la habitación de un hotel y encontrarle haciendo abdominales mientras está sentado en un sofá o tumbado en la cama viendo la televisión. Alardea de ser invencible al ping-pong y se defiende bien al tenis. Otro de sus vicios es nadar. Podría tener buenas marcas en fondo. Es competitivo al máximo. Nunca quiere perder y, si lo hace, insiste en seguir jugando hasta que gana.

Viste más de sport que de traje, pero a los actos oficiales casi siempre va con chaqueta y hasta con corbata. La ropa se la elige exclusivamente él y le gusta ir de compras, aunque cada vez puede hacerlo menos porque le es imposible dar un paso. Le vuelven loco los cinturones. Armani, con la que ahora tiene contrato, es una de sus marcas preferidas. Adora los accesorios, sobre todo las gafas de sol y las gorras.

De coches anda bien servido. Tiene una buena escudería, pero los que le rodean aseguran que tampoco pierde demasiado el tiempo con el asunto. Le gustan los deportivos. No es de los que se compra dos o tres coches al año y alguno le dura hasta cuatro o cinco, salvo accidentes como el que tuvo con su Ferrari en uno de los subterráneos de Manchester cuando iba a un entrenamiento. Una de sus ilusiones es probar el último modelo de Ferrari en Maranello y en ello está. Por Madrid se mueve ahora con el Audi que ha puesto el club a su disposición.

En las inversiones se deja aconsejar siempre por Jorge Mendes, con el que tiene negocios. En Madrid no ha comprado casa. Vive de alquiler y cuando encuentre lo que quiere exactamente, lo adquirirá. Su mansión en Aderley Edge, a veinte millas de Manchester y que tiene gimnasio y piscina interior, está a la venta. Es propietario de un par de apartamentos en Lisboa, de una villa en Sintra y de una casa en Funchal. Junto con su amigo-hermano y algunos compañeros de la selección también representado por Mendes forma parte de una Sociedad que está construyendo en la isla de Porto Santo un complejo residencial de lujo, con hotel, apartamentos y villas. Todo al borde del mar, en un lugar privilegiado. También ha invertido en un terreno de cuatro hectáreas cerca de donde se construirá el nuevo aeropuerto de Lisboa y allí puede construirse la casa de sus sueños. Ya cuenta con proyectos de los mejores arquitectos de Portugal.

Sus hobbys son los normales en un joven de su edad, aunque siempre teniendo en cuenta que disfruta de poco tiempo libre y que no puede salir con la libertad de otros. Para él pasear o ir al cine es una utopía. Y lo echa de menos. Le gusta dormir mucho porque considera que el descanso es fundamental para su profesión, pero el despertar casi nunca es su mejor momento del día. Disfruta viajando. Aunque Los Ángeles es su ciudad preferida quedó impresionado de un viaje, mitad vacaciones mitad trabajo, que hizo por Yakarta y Bali. Al cine va poco, pero en casa devora películas. Últimamente se ha aficionado a leer. Es un hombre curioso. Le gusta saber, pregunta, bucea en Internet. Le interesa saber todo sobre el cuerpo humano. Lo considera vital para su trabajo de entrenamiento. Musicalmente su gusto es variado y ahora ha descubierto a Alejandro Sanz, al que además ha conocido personalmente.

Se ha acostumbrado al marcaje de los paparazzi, lo que no significa que lo lleve bien y en ocasiones no lo termina de entender. Pero después de pasar seis años en Manchester, donde los tabloides ingleses le perseguían día y noche, nada de lo que le pueda suceder ahora le llama la atención. De hecho tiene menos presión mediática. Como sus salidas nocturnas han sido mínimas cada día sufre menos «vigilancia» en la puerta de su urbanización. En este sentido él lo tiene claro. En sus vacaciones se divierte al máximo, viaja, sale y se deja ver en lugares públicos. Pero durante la temporada ejerce de profesional en el más amplio sentido de la palabra.

Cristiano siempre ha tenido claro que es una persona normal, pero es consciente de que para la gente de la calle que le para y le adora no es un chico de 24 años, sino un hombre que tiene que hacer siempre las cosas bien y cuando no las hace lo matan, como él dice.

—Soy una personal normal que hace cosas diferentes. Los jugadores sabemos que tenemos una profesión que nos da cosas muy bonitas, pero también unas responsabilidades. Tenemos que ganar siempre. La presión es grande, pero somos profesionales y tenemos que estar adaptados. Yo intento comportarme bien en todo momento, dentro y fuera del campo, aunque sé que no siempre es fácil por muchas razones. Intento dar permanentemente una buena imagen, sobre todo para los niños. Es importante que crezcan con buenos ejemplos. Esa es una gran responsabilidad para mí. Tengo sobrinos y si algún día tengo hijos me gustaría que crecieran sintiendo que aquellas personas que les gustan son un buen ejemplo para ellos. Es importante que tengan los valores adecuados.

Se siente orgulloso de sí mismo. Sabe el camino que ha recorrido para ver cumplirse sus sueños y confiesa que nada ha sido fácil.

—Dejar a mi familia con 11 años me sirvió para crecer muy deprisa y madurar antes de tiempo. Nunca me arrepentí. La madurez me llegó pronto. Mi vida ha sido siempre un desafío. Siempre he tenido que asumir grandes responsabilidades. Y la vida se construye de retos y dificultades. Yo las he ido superando porque mi objetivo siempre era ganar. Soy una persona ganadora.

ESTADÍSTICAS

- ● Partidos jugados
- ● Goles
- ● Pases de gol

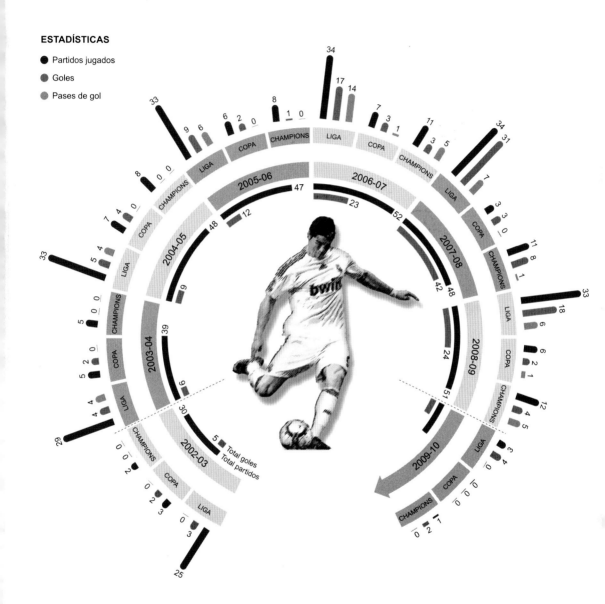

189